RECETTES GOURMANDES DE
DESSERTS

KÖNEMANN

Sommaire

Douces sensations

Un bon repas se doit d'être couronné par un merveilleux dessert, qu'il s'agisse d'une grande occasion, d'un repas entre amis ou, plus simplement, en famille. Et quel meilleur prétexte pour exprimer sa créativité, sachant que le dessert le plus modeste peut être un grand moment culinaire ? Quant aux friandises, celles dont on se délecte au moment privilégié du café et des liqueurs, elles sont parfois si simples à réaliser qu'on ne saurait raisonnablement s'en passer.

Aucun dessert ne supporte des ingrédients de médiocre qualité, surtout lorsqu'il s'agit de fruits frais de saison, dont la couleur, la texture et la saveur sont un gage de réussite. En outre, le dessert est l'occasion rêvée pour employer des produits un peu moins courants ou plus exotiques.

Dans cet ouvrage, un certain nombre de recettes prévoient un ou plusieurs des ingrédients suivants :

Crème fraîche : il s'agit de la matière grasse du lait qui, sous l'action de ferments lactiques, prend une texture riche et onctueuse. Employée aussi bien dans les plats salés que sucrés, elle est délicieuse avec les tourtes et les fruits frais.

Mascarpone : ce riche fromage crémeux, à haute teneur en matière grasse, est fabriqué en Italie. D'une texture proche de celle de la crème fraîche, sa saveur légèrement acidulée accompagne agréablement les fruits.

Préparer un moule à soufflé

Pour être bien appétissant, un soufflé chaud doit être gonflé et déborder du moule en hauteur.

À cet effet, une bande d'aluminium ménager est fixée autour du moule. Attention à lui laisser la place de gonfler dans le four. On sert un soufflé au sortir du four car il retombe au contact de l'air froid.

Le soufflé glacé est lui aussi maintenu par de l'aluminium ménager jusqu'à ce qu'il ait bien pris.

Fixer une bande d'aluminium ménager autour du moule à l'aide d'une ficelle.

Avant de servir, ôter le papier une fois que le soufflé a pris au froid.

Gélatine

La gélatine est un agent de texture employé dans nombre de mets sucrés et salés. Insipide, elle permet de gélifier flans et entremets, dont elle n'altère en rien le goût.

Elle se présente sous la forme de poudre (en sachets) ou de feuilles. Un sachet de poudre, d'emploi plus facile, correspond à six feuilles de gélatine.

La réussite de son utilisation tient, d'une part, au liquide dans lequel elle est délayée et, d'autre part, à la quantité utilisée. Plus celle-ci est importante, plus le résultat sera ferme. Notons que certains produits sont incompatibles avec la gélatine. L'ananas, par exemple, contient un enzyme empêchant toute gélification.

La gélatine en poudre doit d'abord être délayée dans de l'eau froide, l'eau chaude ayant pour effet de la transformer en grumeaux. On verse dans un bol la quantité d'eau froide requise, on pose le bol dans une jatte d'eau chaude, on saupoudre de gélatine et on remue à l'aide

Saupoudrer la gélatine en poudre dans un bol d'eau froide.

Battre le mélange à la fourchette afin de dissoudre la gélatine.

Une fois la gélatine en feuilles ramollie, la presser pour en exprimer l'eau.

d'une fourchette jusqu'à complète dissolution.

Les feuilles, elles, sont d'abord mises à tremper 5 minutes dans un récipient d'eau froide, jusqu'à ce qu'elles soient bien molles. On les sort du bol, on en exprime l'eau et on les place dans un bol posé sur une casserole d'eau frémissante (bain-marie). Secouer doucement la casserole jusqu'à ce que la gélatine ait complètement fondu, ce que l'on vérifie en prélevant une cuillerée de liquide. Il ne faut jamais remuer.

Le principe essentiel à observer ensuite est que la solution à la gélatine doit être à la même température que la préparation dans laquelle elle va être incorporée. Sinon, il y a formation de grumeaux. De plus, il faut bien mélanger pour répartir la gélatine. On laisse ensuite prendre au réfrigérateur, mais jamais au congélateur car une réfrigération trop rapide provoque la cristallisation de la gélatine.

Matériel

Les recettes de cet ouvrage nécessitent un matériel présent dans toutes les cuisines : moules, plats à gratin, batteur électrique ou à main, mixer électrique.

Le moule à baba ou à dariole est de forme tronconique (cône sans pointe). Les moules et ramequins destinés aux soufflés et autres puddings s'achètent dans les grands magasins et les boutiques spécialisées.

Pour les desserts et les friandises, la présentation est primordiale. Il faudra donc divers récipients de service esthétiques.

Ce que l'on peut préparer à l'avance

Quoi de plus désagréable que de disparaître dans la cuisine vers la fin du repas pour préparer le dessert ? Cet ouvrage propose de nombreux desserts magnifiques que l'on peut préparer, au moins en partie, quelques heures ou deux jours à l'avance. Certains se servent en outre chauds ou froids.

Ces indications sont fournies à la fin de chaque recette, dans la rubrique « Conservation ». Les fonds de tarte et les meringues peuvent être cuits à l'avance et réchauffés plus tard à four doux. Les desserts réfrigérés ou glacés

doivent être préparés longtemps à l'avance et d'autres ont besoin de temps pour que leurs saveurs se développent. Quant à la décoration, elle se fait au dernier moment. En s'organisant bien, on peut jouir de tous les plaisirs liés aux

L'emploi du chocolat

Très courant dans les desserts, le chocolat sert aussi à la finition et la décoration. Avec un peu de soin, il est facile à manipuler.

Note : le chocolat à cuire est le plus savoureux. Les pastilles, riches en matière grasse, ont moins de goût mais durcissent rapidement.

Copeaux et frisettes : avec un couteau bien aiguisé ou un épluche-légumes, il est facile de râper en copeaux ou en frisettes un bloc de chocolat à température ambiante. Pour former de gros copeaux ou frisettes, faire d'abord fondre le chocolat, l'étaler sur une planche de bois et laisser refroidir jusqu'à ce qu'il soit presque dur. Avec un couteau à large lame, tenu horizontalement, on le râpe dans la longueur : plus on appuie, plus les copeaux sont épais. Une cuillère à glace ou un épluche-légumes donnent également d'excellents résultats.

Chocolat fondu : avec une poche à douille ou un cône en papier, on peut réaliser toutes sortes de motifs avec du chocolat fondu. On les place directement sur le dessert ou on les couche sur du papier sulfurisé, on laisse durcir, on les décolle du papier et on les pose sur le dessert ou le biscuit. Enfin, on peut réaliser toutes sortes de formes : feuilles, etc.

On fait fondre le chocolat au bain-marie ou au four à micro-ondes.

1 Bain-marie
Couper le chocolat en morceaux égaux. Mettre dans un bol et poser le bol sur une casserole d'eau frémissante. Remuer doucement pour faire fondre. Il faut veiller à ce que ni eau ni vapeur ne soient en contact avec le chocolat (le bol et la cuillère doivent donc être bien secs). Sinon, le chocolat se « raidit » instantanément et devient une masse impossible à travailler. Laisser légèrement refroidir le chocolat avant utilisation, mais sans le laisser durcir.

2 Four micro-ondes
Mettre le chocolat en morceaux dans un bol. Sans couvrir, faire fondre 30 secondes à la puissance maximale. La durée peut cependant varier selon la quantité de chocolat, son type et la puissance du micro-ondes. Vérifier si le chocolat est fondu en le remuant avec une cuillère : même si l'intérieur est fondu, les morceaux conservent leur forme. Si l'extérieur fond, l'intérieur brûle.

Pour que le glaçage reste brillant, on le prépare juste avant de servir et on laisse reposer le dessert ou la friandise dans un endroit frais, et non au réfrigérateur : la moindre goutte de condensation ternirait son éclat.

Remuer doucement le chocolat dans un bol posé sur une casserole d'eau frémissante.

Remuer le chocolat passé au micro-ondes pour vérifier que l'intérieur ait fondu.

desserts : créativité, détente, dégustation.

Succulents desserts

Zuccotto

Préparation : 1 h
    + réfrigération toute une nuit
Cuisson : aucune
Pour 6 à 8 personnes

1 génoise de 30 x 25 x 2 cm
80 ml de kirsch
60 ml de Cointreau
80 ml de rhum, de Cognac, de Grand
    Marnier ou de marasquin
500 ml de crème fraîche épaisse
90 g de chocolat noir aux amandes
    grillées, haché
3/4 de tasse de fruits confits hachés fin
100 g de chocolat noir, fondu
70 g de noisettes grillées, hachées
Cacao en poudre et sucre glace, pour
    décorer

1 Tapisser un moule à pudding d'une contenance d'1,5 l avec de la mousseline humide. Couper la génoise en 12 morceaux arrondis avec un couteau aiguisé. Arroser chaque morceau légèrement avec le mélange de liqueurs. Disposer ces morceaux de génoise dans le moule, en les serrant. Mettre le côté plus fin au centre de façon à ce que les tranches couvrent le fond et les côtés du moule.

Arroser avec le reste de liqueurs pour bien détremper le gâteau et réfrigérer.
2 Battre la crème jusqu'à ce que des becs se forment au bout du fouet. Diviser la crème en deux parties égales. Incorporer le chocolat aux amandes et les fruits confits dans une moitié. Étaler régulièrement le mélange sur le gâteau, dans le moule, en laissant un espace au centre.
3 Incorporer le chocolat fondu et les noisettes dans l'autre partie de la crème et en verser des cuillères dans le puits, au centre du gâteau, en tassant bien. Lisser la surface, couvrir et réfrigérer une nuit pour que la crème soit un peu ferme.
4 Démouler sur un plat et saupoudrer de cacao en poudre et de sucre glace, avec un pochoir en carton, pour recouvrir seulement des quartiers du gâteau. Servir immédiatement car la crème se ramollit assez rapidement.

Secrets du chef
Conservation : il est préférable de préparer ce gâteau un ou deux jours à l'avance, il sera plus parfumé.
Note : la surface de ce gâteau et ses tranches bien séparées rappellent l'aspect d'un potiron (zuccotto, en italien). C'est un dessert très parfumé grâce aux différentes liqueurs dont on l'arrose. On peut aussi l'arroser d'amaretto.

Couper le gâteau en formes arrondies avec un couteau bien aiguisé.

Il est plus facile de saupoudrer le gâteau au-dessus d'un pochoir lorsqu'il est tenu en place.

Apple pie

Préparation : 30 mn
    + 30 mn de réfrigération
Cuisson : 55 mn
Pour 6 personnes

1 tasse 1/4 de farine
1/4 de tasse de sucre glace
90 g de beurre
2 jaunes d'œufs légèrement battus
1 cuil. à soupe d'eau glacée

Garniture
12 pommes à cuire
50 g de beurre
1/4 de tasse de cassonade
1 cuil. à café de cannelle
1 cuil. à café de mélange d'épices
1 blanc d'œuf
1 cuil. à café de sucre en poudre

● Préchauffer le four à 180 °C (th. 4). Badigeonner de beurre fondu la bordure d'un plat à gratin de 23 cm.
1 Tamiser la farine et le sucre au-dessus d'une jatte. Incorporer le beurre avec les doigts pour former une chapelure. Ajouter les jaunes d'œufs et pétrir jusqu'à l'obtention d'une pâte ferme, en ajoutant éventuellement un peu d'eau. Pétrir sur une surface farinée.
2 Abaisser la pâte en un cercle de 25 cm de diamètre. Prélever tout autour des bandes de 1 cm de largeur et garnir le bord du plat. Couvrir le plat et le reste de la pâte de film alimentaire. Réfrigérer 20 mn.
3 Peler et épépiner les pommes. Couper chacune en 8 lamelles. Faire fondre le beurre dans une poêle, ajouter le sucre roux et les épices. Dissoudre le sucre à feu moyen. Ajouter les pommes et enrober de beurre au sucre. Couvrir et faire cuire 10 mn en les retournant de temps en temps. Ôter le couvercle et faire réduire le liquide 5 mn. Laisser refroidir.
4 Mettre les pommes et leur liquide dans le plat. Couvrir de la pâte et pincer le bord. Décorer de chutes de pâte. Enduire du blanc d'œuf. Saupoudrer de sucre. Faire dorer 40 mn. Servir chaud avec une crème anglaise.

Secrets du chef
Conservation : jusqu'à l'étape 3 incluse, l'apple pie se prépare quatre heures à l'avance.

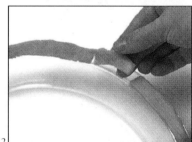

Pudding aux dattes

Préparation : 30 mn
Cuisson : 55 mn
Pour 6 à 8 personnes

200 g de dattes, dénoyautées et hachées
250 ml d'eau
1 cuil. à café de bicarbonate de soude
100 g de beurre
2/3 de tasse de sucre en poudre
2 œufs légèrement battus
1 cuil. à café d'essence de vanille
1 tasse 1/2 de farine avec levure
   incorporée

Sauce
1 tasse de cassonade
125 ml de crème liquide
100 g de beurre

● Préchauffer le four à 180 °C (th. 4).
Huiler un moule carré de 20 cm de côté.
Tapisser de papier sulfurisé.
1 Mélanger les dattes et l'eau dans une
petite casserole. Porter à ébullition. Ôter
du feu. Incorporer le bicarbonate de
soude et laisser refroidir à température
ambiante.
2 Avec un batteur électrique, réduire le
beurre et le sucre en crème onctueuse
dans un bol. Ajouter les œufs un à un en
battant bien. Verser l'essence de vanille et
battre jusqu'à l'obtention d'un mélange
homogène. Transférer dans une jatte.
3 À l'aide d'une cuillère métallique,
incorporer la farine et les dattes avec
leur liquide. Bien mélanger, sans exagérer. Verser dans le moule et faire cuire
50 mn, jusqu'à ce qu'une brochette plantée au centre ressorte propre. Laisser
reposer 10 mn dans le moule. Démouler
et découper.
4 **Sauce :** mélanger les ingrédients dans
une casserole. Faire fondre le beurre et
dissoudre le sucre en remuant. Porter à
ébullition, réduire le feu et laisser frémir
2 mn. Placer les parts de pudding sur des
assiettes. Napper de sauce chaude. Servir avec de la crème et des framboises.

Secrets du chef
Conservation : ce pudding peut être
préparé huit heures à l'avance. Une fois
froid, il se conserve dans un récipient
hermétique. La sauce peut se préparer
deux heures à l'avance et être réchauffée
avant de servir.

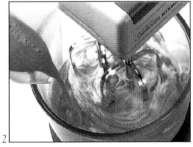

Mousse au chocolat

Préparation : 20 mn
Cuisson : aucune
Pour 4 personnes

250 g de chocolat à croquer
3 œufs
60 g de sucre en poudre
2 cuil. à café de rhum
250 ml de crème liquide, fouettée

● Mettre le chocolat dans un petit bol et faire fondre au bain-marie. Lorsque la consistance est onctueuse, laisser légèrement refroidir.

1 Battre en crème les œufs et le beurre pendant 5 minutes avec un batteur électrique, jusqu'à ce que le mélange augmente de volume et prenne une couleur claire.

2 Verser le mélange dans un grand bol. Avec une cuillère en métal, incorporer le chocolat fondu et le rhum. Ajouter la crème fouettée. Remuer rapidement et légèrement.

3 Verser des cuillères de mousse dans des ramequins ou des coupes en verre. Mettre au réfrigérateur pendant 2 heures, jusqu'à ce que la mousse soit ferme. Décorer avec des feuilles en chocolat. (Voir Note)

Secrets du chef

Conservation : la mousse au chocolat peut se garder jusqu'à deux jours dans le réfrigérateur. Recouvrir avec un film fraîcheur pour empêcher une peau de se former à la surface.

Note : pour faire des feuilles en chocolat : faire fondre un peu de chocolat à croquer. Avec un pinceau fin, recouvrir des feuilles de rosiers, de chêne ou de lierre. Laisser prendre, puis enlever la feuille délicatement. Garder au réfrigérateur.

1

2

3

Strudel aux cerises et à la ricotta

Préparation : 25 mn
Cuisson : 35 à 40 mn
Pour 8 à 10 personnes

500 g de ricotta
2 cuil. à soupe de zeste d'orange ou de citron
1/4 de tasse de sucre en poudre
1/2 tasse de chapelure
2 cuil. à soupe d'amandes en poudre
2 œufs
425 g de cerises noires, dénoyautées au sirop
2 cuil. à café de Maïzena

8 feuilles de pâte filo
60 g de beurre, fondu
2 cuil. à soupe de chapelure
Sucre glace

● Préchauffer le four à 180 °C. Graisser légèrement la plaque du four.
1 Mélanger le fromage, le zeste, le sucre, la chapelure et les amandes. Ajouter les œufs ; remuer. Égoutter les cerises et réserver la moitié du sirop. Mélanger la Maïzena avec le sirop dans une casserole. Remuer sur le feu jusqu'à ce que le mélange ait bouilli et épaissi. Laisser refroidir.
2 Étaler les feuilles de pâte, badigeonner chacune de beurre fondu et saupoudrer de chapelure. Former un grand carré en recouvrant à moitié la première feuille d'une seconde. Alterner les couches, sans oublier de badigeonner de beurre fondu ni de saupoudrer de chapelure.
3 Étaler le mélange de fromage le long d'une longue bande de pâte. Former une bûche. Garnir de cerises et de sirop refroidi. Rouler la pâte autour de la garniture de fromage, en repliant les bords à l'intérieur au fur et à mesure. Finalement, le bord de pâte doit se retrouver sous le roulé. Placer sur la plaque. Enfourner 35 à 40 mn. Servir le strudel chaud ou froid, généreusement saupoudré de sucre glace. Couper en tranches.

Secrets du chef
Conservation : le strudel peut se préparer à l'avance. Il est meilleur le jour même.

1

2

3

Gâteau roulé à la fraise

Préparation : 15 mn
+ 20 mn de repos
Cuisson : 10 mn
Pour 6 à 8 personnes

3 œufs, jaunes et blancs séparés
1 pincée de sel
1/2 tasse de sucre en poudre
3/4 de tasse de farine avec levure
incorporée
2 cuil. à soupe d'eau chaude
180 ml de crème liquide
1 cuil. à soupe de sucre en poudre
1/2 tasse de confiture de fraises

250 g de fraises, équeutées et coupées
en 4
**Crème fouettée et fraises, pour la
décoration**

● Préchauffer le four à 200 °C (th. 6). Saupoudrer de 1 cuillerée à soupe de sucre un morceau de papier sulfurisé de 30 x 35 cm posé sur un linge propre. Huiler ou beurrer une tôle à pâtisserie de 26 x 30 cm. Tapisser de papier sulfurisé.
1 Dans un bol, battre les blancs d'œufs en neige ferme avec le sel. Ajouter le sucre petit à petit et battre jusqu'à dissolution. Ajouter les jaunes d'œufs légèrement battus et battre jusqu'à épaississement.
2 Incorporer la farine tamisée et l'eau.

Répartir le mélange sur la tôle. Faire cuire 8 à 10 mn. Démouler sur le papier saupoudré de sucre et ôter le papier du gâteau. En s'aidant d'un linge, rouler le gâteau dans la longueur en serrant bien. Réserver 20 mn. Dérouler pour empêcher qu'il ne se casse quand on l'enroulera avec la garniture.
3 Battre la crème et le sucre en un mélange ferme. Badigeonner le gâteau avec la confiture et le recouvrir de crème et de fraises. Rouler et réfrigérer. Décorer de crème et de fraises fraîches coupées en deux.

Secrets du chef
Conservation : ce gâteau roulé peut se préparer quatre heures à l'avance.

Beignets au sirop de sucre de canne

Préparation : 20 mn
Cuisson : 10 mn
Pour 6 personnes

1 tasse 1/2 de farine avec levure
incorporée
1/2 cuil. à café de levure chimique
30 g de beurre, coupé en dés
1 œuf, légèrement battu
75 ml de lait

Sirop
50 g de beurre
80 ml de sirop de sucre de canne
375 ml d'eau bouillante

● Tamiser la farine et la levure au-dessus d'une jatte. Ajouter le beurre.
1 Avec les doigts, mélanger le beurre et la farine en une chapelure fine. Ajouter l'œuf et le lait et mélanger en une pâte souple. Rassembler en boule. Diviser en 12 et former une boulette avec chaque portion.
2 Faire fondre le beurre dans une grande casserole et ajouter le sirop. Remuer à feu moyen. Verser l'eau et mélanger.

3 Plonger les beignets dans le sirop frémissant, couvrir et réduire le feu. Faire cuire 10 mn, jusqu'à ce qu'un couteau planté dans un beignet ressorte propre. Dresser les beignets sur des assiettes et arroser du sirop. Servir avec de la crème fraîche ou de la glace et, le cas échéant, des framboises fraîches.

Secrets du chef
Conservation : les beignets sont meilleurs préparés au dernier moment.
Conseil : l'idéal pour faire cuire ces beignets est une sauteuse munie d'un couvercle.

Gâteau roulé à la fraise (en haut) et beignets au sirop de sucre de canne.

Tarte aux fruits rouges

Préparation : 35 mn
    + 20 mn de réfrigération
Cuisson : 35 mn
Pour 4 à 6 personnes

1 tasse de farine
90 g de beurre
2 cuil. à soupe de sucre glace
1 à 2 cuil. à soupe d'eau

Garniture

3 jaunes d'œufs
2 cuil. à soupe de sucre en poudre
2 cuil. à soupe de Maïzena
250 ml de lait
1 cuil. à café d'essence de vanille
250 g de fraises, coupées en deux

125 g de myrtilles
125 g de framboises
1 à 2 cuil. à soupe de gelée de
    pommes

● Préchauffer le four à 180 °C (th. 4).
Passer au mixer 15 secondes la farine, le
beurre et le sucre glace pour obtenir une
chapelure fine. Ajouter presque toute
l'eau et mixer 20 secondes pour obtenir
une pâte homogène. Si nécessaire, ajouter de l'eau. Pétrir la pâte sur une surface farinée.

1 Abaisser la pâte en un cercle de 22 cm
de diamètre. Foncer un moule cannelé
de 20 cm de diamètre. Réfrigérer 20 mn.
Poser une feuille de papier sulfurisé sur le
moule. Placer une couche de haricots
secs. Faire cuire 15 mn. Ôter du four,
enlever papier et haricots. Faire dorer
15 mn au four.

2 **Garniture :** fouetter les jaunes d'œufs,
le sucre et la Maïzena dans un bol. Faire
chauffer le lait dans une casserole jusqu'à
ébullition. Verser en filet sur le mélange
aux œufs, sans cesser de battre. Tamiser
au-dessus de la casserole. Faire épaissir 3
mn à feu doux en remuant. Ôter du feu
et ajouter l'essence de vanille. Verser
dans une jatte, couvrir de film alimentaire et laisser refroidir.

3 Étaler la garniture sur la pâte. Couvrir
des fraises, des myrtilles et des framboises. Faire liquéfier la gelée de pommes
au bain-marie ou au micro-ondes. Badigeonner les fruits de gelée à l'aide d'un
pinceau.

Secrets du chef

Conservation : conserver la pâte cuite la
veille dans un récipient hermétique.
Garnir quatre heures avant de servir.

1

2

3

Gelée de fraises et de framboises

Préparation : 30 mn
+ 4 h de réfrigération
Cuisson : sans
Pour 8 personnes

250 g de fraises, équeutées
1 cuil. à soupe de sucre en poudre
250 g de framboises
170 g de poudre pour gelée de fraise
ou de framboise
250 ml d'eau bouillante
250 ml d'eau froide
1 cuil. à soupe de jus de citron
Crème fouettée et copeaux
de chocolat, pour décorer

● Mixer les fraises et le sucre jusqu'à l'obtention d'un mélange onctueux. Verser dans un bol de taille moyenne.

1 Mettre les framboises dans le bol du mixeur. Mixer pendant 20 à 30 secondes jusqu'à l'obtention d'un mélange onctueux. Passer le mélange dans une passoire. Ajouter au mélange de fraises.

2 Mélanger le poudre de gelée et l'eau bouillante dans un grand pichet. Remuer jusqu'à dissolution complète. Ajouter le mélange de fruits, l'eau froide et le jus de citron. Bien mélanger (pour obtenir l'équivalent d'1 litre). Verser la gelée dans des plats à dessert individuels ou des verres à crèmes glacées. Mettre au réfrigérateur pendant 4 h, jusqu'à ce qu'elle soit prise. Décorer de crème et de copeaux de chocolat.

3 Copeaux de chocolat : il est très facile de faire des copeaux en grattant une plaquette de chocolat à l'aide d'un économe. Pour de meilleurs résultats, le chocolat doit être réchauffé mais pas au point de commencer à fondre (laisser dans un endroit chaud pendant 10 à 15 mn). Travailler au-dessus d'une feuille de papier

sulfurisé et tailler des copeaux en donnant des coups d'économe longs et réguliers.

Secrets du chef

Conservation : la gelée peut se préparer jusqu'à 2 jours à l'avance. Conserver au réfrigérateur.

Variante : on peut remplacer les framboises et les fraises par d'autres fruits rouges. La gelée peut également être mise au frais dans un moule à cake puis, une fois prise, coupée en tranches et disposée dans des assiettes à dessert et décorée à son goût.

Note : On peut se procurer le poudre de gelées de fruit dans les épiceries spécialisées ou dans les grandes surfaces (rayon international).

1

2

3

Pudding moelleux
au chocolat

Préparation : 20 mn
Cuisson : 45 mn
Pour 6 à 8 personnes

1 tasse 1/2 de farine avec levure
    incorporée
1/4 de tasse de cacao en poudre
3/4 de tasse de sucre en poudre
90 g de beurre, fondu
180 ml de lait

2 œufs légèrement battus

Sauce
375 ml de lait
250 ml d'eau
185 g de chocolat noir, haché

● Préchauffer le four à 180 °C (th. 4).
Badigeonner d'huile ou de beurre fondu
un moule à soufflé de 2,25 litres.
1 Tamiser la farine et le cacao au-dessus
d'une jatte. Ajouter le sucre et creuser
un puits au centre.
2 Mettre le beurre fondu, le lait et les
œufs dans le puits. Remuer jusqu'à l'ob-

tention d'un mélange onctueux, mais pas
trop longtemps. Verser dans le moule à
soufflé préparé.
3 Sauce : mettre le lait, l'eau et le chocolat dans une petite casserole. Remuer
à feu doux pour obtenir un mélange onctueux. Verser doucement dans le moule.
Faire cuire 45 à 50 mn, jusqu'à ce que le
gâteau soit ferme au toucher. Servir avec
de la crème ou de la glace et, le cas
échéant, des fruits frais.

Secrets du chef
Conservation : ce pudding est meilleur
préparé au dernier moment.

Charlottes aux pommes

Préparation : 50 mn
Cuisson : 40 mn
Pour 8 personnes

8 pommes granny smith
1 tasse de sucre en poudre
200 ml de jus d'orange
125 ml de brandy
1 cuil. à café de cannelle en poudre
100 g de beurre
50 g d'amandes effilées, grillées
1 pain de mie en tranches
Un peu de beurre ramolli

1 Éplucher et couper les pommes en fines tranches dans un grand bol d'eau pour éviter qu'elles brunissent. Faire chauffer le sucre avec 225 ml d'eau dans une casserole à feu doux, jusqu'à ce que le sucre soit dissous. Porter à ébullition sans remuer jusqu'à ce que le sucre devienne brun. Enlever du feu et ajouter le jus d'orange, le brandy, la cannelle et le beurre. Égoutter les pommes et les ajouter au sirop. Faire mijoter à feu doux, puis enlever les pommes à l'aide d'une écumoire, les mettre dans un bol et ajouter des amandes. Faire bouillir le sirop pour le réduire de 2/3.

2 Préchauffer le four à 200 °C. Beurrer 8 petits ramequins. Couper 16 rondelles au milieu des tranches de pain de mie, les beurrer et les poser dans chaque ramequin (le côté beurré à plat dans le fond du moule). Couper et beurrer le reste du pain en lamelles assez larges et les disposer sur les côtés des ramequins (le côté beurré contre les bords des ramequins et les bords de chaque lamelles doivent se chevaucher).

3 Garder quelques tranches de pommes pour garnir et mettre le reste dans les ramequins, en appuyant fermement. Mettre le reste des rondelles de pain beurré sur les pommes (côté beurré vers l'extérieur). Appuyer fermement et faire cuire 15 mn au four. Démouler et servir avec le reste des pommes. Arroser de sirop et servir immédiatement.

Secrets du chef

Note : on peut aussi utiliser des poires, des abricots, des pêches ou des fruits rouges, ainsi que des fruits en conserve.

1

2

3

Profiteroles

Préparation : 40 mn
Cuisson : 35 mn
Pour 4 à 6 personnes

180 ml d'eau
60 g de beurre
90 g de farine
3 œufs, battus
1 cuil. à soupe 1/2 de crème anglaise
   instantanée
1 cuil. à soupe de sucre en poudre
375 ml de lait
150 g de chocolat blanc, haché
1 cuil. à soupe de Grand Marnier

Sauce au chocolat
125 g de chocolat à croquer, haché
125 ml de crème liquide

● Préchauffer le four à 210 °C. Tapisser une plaque de papier sulfurisé.
1 Faire chauffer l'eau et le beurre dans une casserole. Porter à ébullition et retirer du feu. Ajouter la farine. Tourner jusqu'à ce que la pâte se détache des bords et forme une boule. Laisser tiédir. Mettre la pâte au mixer. Tout en continuant à mixer, ajouter graduellement les œufs pour former une pâte épaisse et lisse. Déposer des petits tas de deux cuillères à soupe sur la plaque, à 5 cm les uns des autres. Arroser avec un peu d'eau. Cuire 10 minutes au four. Réduire le feu à 180 °C (au gaz th. 4). Continuer la cuisson 12 à 15 minutes pour

que la pâte gonfle. Faire une incision sur chaque profiterole et éteindre le four. Laisser refroidir 5 minutes.
2 Mélanger la crème anglaise et le sucre dans une casserole. Ajouter le lait peu à peu, en remuant jusqu'à ce que le mélange soit bien onctueux. Remuer à feu doux pour qu'il épaississe. Ôter du feu et ajouter le chocolat et la liqueur. Remuer jusqu'à ce que le chocolat soit fondu. Recouvrir avec un film alimentaire et laisser refroidir.
3 Remuer la crème pour la rendre onctueuse et la verser dans une poche à douille lisse de 1 cm et garnir les profiteroles. Servir chaud, napper de sauce au chocolat.
4 Sauce au chocolat : mélanger le chocolat et la crème dans une casserole. Remuer à feu doux jusqu'à ce que le chocolat soit fondu.

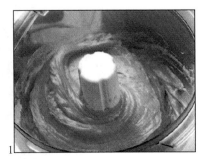

Tarte à la banane et au caramel

Préparation : 35 mn
+ 50 mn de réfrigération
Cuisson : 40 mn
Pour 8 personnes

1 tasse 1/4 de farine, tamisée
2 cuil. à soupe de sucre glace
3/4 de tasse de noix moulues
80 g de beurre coupé en dés
60 ml d'eau glacée

Garniture
400 g de lait concentré
30 g de beurre
1 cuil. à soupe de sirop de sucre de
   canne
2 bananes moyennes, coupées en
   rondelles
250 ml de crème liquide, fouettée
125 ml de crème fraîche épaisse
2 bananes moyennes, coupées en
   rondelles
50 g de chocolat noir, fondu

1 Ajouter les noix et le beurre et pétrir pour obtenir une chapelure fine. Ajouter presque toute l'eau et mélanger jusqu'à l'obtention d'une pâte ferme. Le cas échéant, ajouter un peu d'eau. Pétrir la pâte sur une surface farinée. Abaisser la pâte et foncer un moule de 23 cm de diamètre. Couvrir de film alimentaire et réfrigérer 20 mn.

2 Préchauffer le four à 180 °C (th. 4). Poser du papier sulfurisé sur la pâte. Couvrir de haricots secs. Faire cuire 15 mn. Sortir du four, ôter le papier et les haricots. Faire dorer la pâte 15 mn au four. Ôter du four et laisser refroidir.

3 **Garniture :** mettre le lait concentré, le beurre et le sirop dans une casserole. Faire caraméliser légèrement 5 mn à feu moyen. Laisser refroidir un peu. Disposer les rondelles de deux bananes sur la pâte, couvrir de caramel et lisser avec le dos d'une cuillère. Réfrigérer 30 mn.

4 Mélanger doucement les crèmes. Poser des cuillerées de crème sur la tarte. Disposer le reste des rondelles de bananes. Décorer de fils de chocolat fondu.

Secrets du chef

Conservation : la tarte peut être réfrigérée 1 h avant de servir. Arroser les bananes de jus de citron.

Pashka

Préparation : 2 h 30
    + 1 nuit de réfrigération
Cuisson : 15 mn
Pour 8 à 10 personnes

100 g d'ananas confit
100 g de gingembre confit
60 g de fruits confits mélangés,
    coupés en dés
60 g de raisins secs
2 cuil. à soupe de rhum blanc ou brun
100 g de beurre, ramolli
1/2 tasse de sucre en poudre
2 jaunes d'œufs
2 cuil. à café de zeste de citron
    finement râpé

60 g d'amandes en bâtonnets, grillées
2 cuil. à café de zeste d'orange
    finement râpé
2 cuil. à soupe de jus de citron
750 g de ricotta, égouttée
125 ml de crème fraîche
Amandes émondées entières et
    abricots confits, pour la
    décoration

● Hacher l'ananas et le gingembre.
1 Mélanger l'ananas, le gingembre, les fruits confits, les raisins et le rhum dans une jatte. Laisser tremper 2 h. À l'aide d'un morceau de mousseline, éponger le liquide. Tapisser de la même mousseline un moule conique de 2 l.
2 Réduire le beurre et le sucre dans une jatte jusqu'à l'obtention d'un mélange onctueux. Incorporer les jaunes d'œufs

un à un. Ajouter les amandes, les zestes et le jus de citron. Bien mélanger. Transférer dans une jatte. Incorporer la ricotta, la crème fraîche et le mélange aux fruits.
3 Mettre le mélange dans le moule. Rabattre la mousseline dessus. Couvrir de film alimentaire, poser une assiette et placer une boîte de conserve dessus. Réfrigérer 1 nuit. Démouler le gâteau et ôter la mousseline. Dresser sur un plat. Décorer avec les amandes et les abricots confits. Découper en petites parts.

Secrets du chef
Conservation : la pashka se conserve deux jours au réfrigérateur.
Note : la pashka est le gâteau de Pâques traditionnel en Russie.

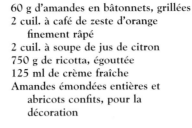

Gratin brioché
aux quetsches

Préparation : 15 mn
Cuisson : 45 mn
Pour 6 à 8 personnes

750 g de quetsches
1 cuil. à soupe d'eau
1/4 de tasse de sucre en
    poudre

Pain brioché
1 tasse de farine avec levure
    incorporée
1/2 tasse de farine
1/4 de tasse de sucre en poudre
125 g de beurre coupé en dés
1 œuf
125 ml de lait
Sucre glace, pour la décoration

● Préchauffer le four à 180 °C (th. 4). Huiler un plat à gratin de 2 l. Couper les quetsches en quatre et dénoyauter.
1 Mettre les quetsches, l'eau et le

sucre dans une casserole. Remuer 5 mn à feu doux. Verser le mélange dans le plat.
2 Tamiser les farines au-dessus d'une jatte. Ajouter le sucre et remuer. Incorporer le beurre avec les doigts pour obtenir une chapelure fine. Mélanger l'œuf et le lait et fouetter. Incorporer au mélange à la farine.
3 Placer des monticules de mélange sur les quetsches. Faire dorer 30 à 40 mn. Saupoudrer de sucre glace. Servir immédiatement.

Pashka (en haut) et gratin brioché aux quetsches.

Puddings au chocolat et au caramel

Préparation: 40 mn
    + 20 mn de repos
Cuisson: 40 mn
Pour 6 personnes

150 g de chocolat à croquer, haché
    grossièrement
125 ml de lait
80 g de biscuits, émiettés
30 g de beurre
1 cuil. à soupe de sucre
2 œufs
25 g de noix, finement hachées
1/2 cuil. à café d'essence
    de vanille

Sauce au chocolat chaude
180 g de chocolat à croquer, finement
    haché
170 ml de crème liquide

● Préchauffer le four à 180 °C (au gaz th. 4). Beurrer six ramequins et tapisser les fonds de papier sulfurisé.

1 Mettre le chocolat et le lait dans une casserole moyenne et remuer à feu doux pour bien mélanger. Retirer du feu et ajouter les miettes de biscuits. Laisser reposer pendant 20 minutes, puis verser dans un bol.

2 Battre en crème le beurre et le sucre avec un batteur électrique. Ajouter les jaunes d'œufs, un à un, en continuant à battre. Incorporer au mélange précédent. Ajouter les noix et la vanille.

3 Battre les blancs en neige ferme avec le batteur électrique. Incorporer au mélange. Verser cette préparation dans les ramequins et les disposer sur un plat à moitié rempli d'eau bouillante. Beurrer légèrement des morceaux de papier d'aluminium et les poser sur les ramequins. Faire cuire 35 minutes au four, jusqu'à ce que le mélange soit ferme. Laisser prendre pendant 5 minutes avant de les démouler sur des assiettes. Verser la sauce au chocolat chaude sur les pud-

dings. Servir avec de la crème épaisse.

4 Sauce au chocolat chaude : faire fondre le chocolat et la crème dans un petit bol, au bain-marie. Remuer jusqu'à ce que le chocolat soit fondu et que le mélange soit onctueux. Servir immédiatement.

Secrets du chef
Conseil : saupoudrer les puddings avec un mélange de sucre glace et de cacao. La sauce peut se servir séparément dans un petit pot.

Tarte aux fruits de la Passion

Préparation : 30 mn
   + 20 mn de réfrigération
Cuisson : 45 mn
Pour 6 à 8 personnes

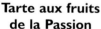

1 tasse de farine
1/4 de tasse d'amandes en poudre
1/4 de tasse de sucre en poudre
60 g de beurre, coupé en dés
2 à 3 cuil. à soupe d'eau glacée

Garniture

6 jaunes d'œufs
1/2 tasse de sucre en poudre
3/4 de tasse de pulpe de fruits de la
   Passion fraîche
75 g de beurre
1 cuil. à café de gélatine
1 cuil. à soupe d'eau

125 ml de crème liquide, fouettée
250 ml de crème, fouettée, en plus

● Préchauffer le four à 180 °C (th. 4).
1 Mettre la farine, les amandes, le sucre et le beurre dans un mixer. Mixer 30 secondes pour obtenir une chapelure fine. Ajouter presque toute l'eau et mixer 30 secondes de plus pour obtenir une pâte onctueuse (ajouter un peu d'eau si nécessaire). Pétrir la pâte sur une surface farinée.
2 Abaisser la pâte en un cercle de 25 cm de diamètre. Foncer un moule cannelé de 23 cm de diamètre. Réfrigérer 20 mn. Poser du papier sulfurisé sur la pâte. Placer une couche de haricots secs. Faire cuire 15 mn. Ôter du four, enlever le papier et les haricots. Faire dorer 15 mn au four. Ôter du four et laisser refroidir. Fouetter les jaunes d'œufs et le sucre 1 mn dans une jatte. Ajouter la pulpe de fruits de la Passion et mélanger. Poser la jatte sur une casserole d'eau frémissante

et remuer 15 mn en ajoutant le beurre par petites quantités, jusqu'à épaississement. Ôter du feu et laisser refroidir légèrement.
3 Mettre la gélatine et l'eau dans un bol. Poser le bol dans de l'eau chaude et faire dissoudre la gélatine en remuant. Ajouter au mélange aux fruits de la Passion et mélanger. Laisser refroidir à température ambiante en remuant de temps en temps. Incorporer les 125 ml de crème fouettée. Étaler la garniture sur la pâte cuite. Lisser le dessus. Avec une poche à douille, mettre de la crème fouettée sur le pourtour de la tarte. Décorer de pulpe de fruits de la Passion et de segments de mandarine. Réfrigérer jusqu'au moment de servir.

Secrets du chef

Conservation : la pâte cuite la veille et refroidie se conserve dans un récipient hermétique.

Diplomate traditionnel

Préparation : 40 mn + réfrigération
Cuisson : 5 à 10 mn
Pour 4 à 6 personnes

250 g de biscuits roulés à la confiture
85 g de poudre pour gelée de cerises
    ou de fraises
125 ml de marsala ou de xérès
1 grosse mangue, épluchée et finement
    coupée
200 g de cerises fraîches, dénoyautées
1 boîte de 425 g de poires en tranches,
    égouttées
250 ml de crème liquide, fouettée
2 cuil. à soupe de confiture de fraises
    passée au tamis

Crème anglaise

1/4 de tasse de crème anglaise en
    poudre
1/4 de tasse de sucre en poudre
320 ml de lait
180 ml de crème liquide
2 cuil. à café d'essence de vanille
80 ml de crème fraîche épaisse

1 Couper les biscuits roulés en 3. En tapisser le fond et la moitié des côtés d'un moule en verre d'une contenance de 2 l, de façon à ce que l'on voit les spirales. Empiler le reste au milieu. Dissoudre la gelée en poudre dans 1 tasse 1/2 d'eau bouillante et de marsala et remuer. Verser sur les tranches de biscuits roulés. Le liquide doit couler sur le côté du bol. Recouvrir et réfrigérer.
2 Crème anglaise : mettre la crème anglaise en poudre et le sucre dans une casserole. Ajouter le lait graduellement et la crème liquide. Remuer à feu doux jusqu'à ce que le mélange bouille. Ajouter l'essence de vanille. Recouvrir d'un film alimentaire pour empêcher une peau de se former. Laisser refroidir avant d'incorporer la crème épaisse.

3 Mettre 1/3 de fruits sur les biscuits roulés et verser des cuillerées de crème anglaise. Disposer le reste des fruits sur la crème et réfrigérer. Juste avant de servir, recouvrir le dessus du diplomate de crème fouettée. Verser la confiture dans un cornet de papier sulfurisé. Couper la pointe et faire des lignes parallèles. Avec une petite brochette traînée en travers des lignes de confiture, ajouter un motif plus élaboré.

Essuyez à chaque fois la brochette.

Secrets du chef

Note: la saveur d'un diplomate est toujours meilleure le lendemain de la préparation.

On peut se procurer le poudre pour gelées de fruit dans des épiceries spécialisées ou dans les grandes surfaces (rayon international).

1

2

3

Soufflé chaud au moka

Préparation : 25 mn
Cuisson : 45 mn
Pour 4 à 6 personnes

1 cuil. à soupe de sucre en poudre
40 g de beurre
2 cuil. à soupe de farine
180 ml de lait
1 cuil. à soupe de café instantané
    de type expresso
1 cuil. à soupe d'eau chaude
2 cuil. à soupe de sucre en
    poudre, en plus
100 g de chocolat noir fondu
4 œufs, jaunes et blancs
    séparés
Sucre glace, pour la décoration

● Préchauffer le four à 180 °C (th. 4).
1 Huiler ou beurrer un moule à soufflé
de 1,25 litre. Saupoudrer de sucre en le
répartissant bien sur le fond et les bords.
Secouer pour ôter l'excédent. Entourer
le haut du moule d'une double épaisseur
de papier sulfurisé en le faisant dépasser
de 3 cm. Fixer à l'aide de ficelle.
2 Faire fondre le beurre dans une casserole. Ajouter la farine et faire dorer
2 mn à feu doux en remuant. Verser le
lait en filet en mélangeant bien jusqu'à
ce que le mélange soit homogène.
3 Faire bouillir et épaissir le mélange à
feu moyen sans cesser de remuer. Laisser
bouillir 1 minute, puis ôter du feu.
Transférer dans une jatte. Délayer le café
instantané dans l'eau chaude. Ajouter
au mélange au lait avec le sucre, le
chocolat fondu et les jaunes d'œufs.
Battre jusqu'à l'obtention d'une préparation onctueuse.
4 À l'aide d'un batteur électrique,
battre les blancs d'œufs en neige très
ferme dans une jatte. Incorporer un tiers
des blancs en neige au mélange au
chocolat. Incorporer le reste avec pré-
caution. Verser la préparation dans le
moule. Faire cuire 40 mn, jusqu'à ce que
le soufflé soit bien gonflé et ferme au
toucher. Ôter du four et enlever le
papier. Saupoudrer de sucre glace et
servir sans attendre.

Secrets du chef
Conservation : un soufflé se prépare
toujours au dernier moment.

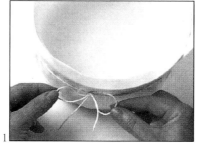

Tourte à l'abricot

Préparation : 40 mn
Cuisson : 35 mn
Pour une tourte ronde de 23 cm

2 tasses 1/2 de farine
1/4 de tasse de farine avec levure
   incorporée
2/3 de tasse de cornflakes
250 g de beurre, coupé en morceaux
2 cuil. à soupe de sucre en poudre
125 ml de lait
1 œuf, légèrement battu
2 boîtes de 425 g d'oreillons d'abricot
1/4 de tasse de cassonade
1 jaune d'œuf
1 cuil. à soupe d'eau
1 à 2 cuil. à soupe de sucre en poudre

● Préchauffer le four à 180 °C. Enduire d'huile un moule à tourte rond de 23 cm.
1 Mettre les farines, les cornflakes et le beurre dans un robot ménager ; ajouter le sucre. Mixer 15 secondes jusqu'à ce que le mélange ait une texture finement grumeleuse. Ajouter le mélange de lait et d'œuf, mixer 15 à 20 secondes jusqu'à obtention d'une masse homogène. Couvrir d'un film fraîcheur et laisser 10 mn au réfrigérateur. Étendre au rouleau deux tiers de la pâte entre deux feuilles de film fraîcheur ou de papier cuisson, suffisamment grandes pour recouvrir le fond et les côtés du moule.
2 Saupoudrer de cassonade le fond de pâte, étaler les abricots dessus, niveler la surface. Étendre au rouleau le reste de pâte pour recouvrir le dessus de la tourte. Enduire les bords en pâte avec un mélange de jaune d'œuf et d'eau, appuyer doucement dessus pour fermer la tourte. Couper les bords qui dépassent. Enduire le dessus de la tourte avec le mélange contenant le jaune d'œuf.
3 Étendre le reste de pâte pour qu'il ait 2,5 mm d'épaisseur. Avec un découpe-pâte de 1,5 cm, couper suffisamment de ronds pour recouvrir le pourtour de la tourte.
4 Mettre les ronds sur le bord de la tourte en prenant soin qu'ils se chevauchent. Saupoudrer la tourte de sucre. Faire trois trous sur le dessus pour que la vapeur s'échappe. Faire cuire 35 mn au four. Laisser reposer 5 mn avant de couper la tourte.

Secrets du chef
Variante : arroser les abricots d'1 cuillerée d'amaretto (liqueur parfumée à l'amande).

1

2

3

4

Brownies au cappuccino

Préparation : 20 mn
Cuisson : 40 mn
Pour 6 personnes

150 g de beurre
125 g de chocolat noir
3 œufs
1 tasse 1/2 de sucre en poudre
1 cuil. à café d'essence de vanille
1 tasse de farine
1/4 de tasse de cacao en poudre
2 cuil. à soupe de café instantané

1 l de glace à la vanille
1 cuil. à café de chocolat instantané

● Préchauffer le four à 180 °C (th. 4). Huiler ou beurrer un moule à gâteau rectangulaire de 28 x 18 cm. Tapisser de papier sulfurisé, en le faisant déborder sur deux côtés.
1 Mettre le beurre et le chocolat dans un bol. Poser le bol sur une casserole d'eau frémissante et faire fondre en remuant pour obtenir un mélange onctueux. Ôter du feu et laisser refroidir.
2 Mélanger les œufs, le sucre et l'essence de vanille. Incorporer le mélange au chocolat en fouettant, puis la farine, le cacao et le café tamisés. Verser dans le moule et faire cuire 40 mn. Laisser

refroidir dans le moule. Réfrigérer 1 h.
3 Démouler le brownie en s'aidant du papier. Découper 6 cercles à l'aide d'un emporte-pièces rond de 8 cm de diamètre. Poser un cercle sur chaque assiette, placer 3 boules de glace sur le dessus et saupoudrer de chocolat instantané. Le cas échéant, garnir de fruits frais. Servir sans attendre.

Secrets du chef

Conservation : le gâteau peut être préparé la veille. L'assemblage se fait juste avant de servir et les boules de glace sont disposées au tout dernier moment.
Variante : on peut garnir les brownies de différents parfums de glaces : miel, caramel, etc.

Croquembouche

Préparation : 1 h 30
Cuisson : 1 h 30
Pour 10 à 12 personnes

100 g de beurre
1 tasse 1/2 de farine tamisée
6 œufs, battus
4 tasses de sucre en poudre

Garniture
375 ml de lait
1 gousse de vanille
3 jaunes d'œufs
1/4 de tasse de sucre en poudre
2 cuil. à soupe de farine
60 ml de Grand Marnier
375 ml de crème fraîche épaisse

1 Préchauffer le four à 210 °C. Mettre le beurre dans une casserole avec 375 ml d'eau et remuer à feu moyen jusqu'à ce que le mélange bouille. Enlever du feu et ajouter la farine en battant rapidement. Faire chauffer à nouveau et continuer à battre jusqu'à ce que la pâte forme une boule. Laisser refroidir légèrement.

2 Battre la pâte pour la refroidir. Ajouter graduellement l'œuf battu, 3 cuil. à café à la fois en continuant à battre jusqu'à ce que la pâte soit épaisse et brillante. La cuillère en bois doit pouvoir se tenir toute seule au milieu de la pâte. (Si elle est trop liquide, l'œuf aura été ajouté trop rapidement. Il faut alors battre quelques minutes de plus, jusqu'à ce que la pâte épaississe.) Asperger d'eau trois plaques. Faire des petits tas de pâte à l'aide d'une cuillère, en laissant des espaces suffisants entre chaque petit tas pour qu'ils gonflent. Faire 8 gros choux et diminuer leur dimension peu à peu. Le plus petit choux équivaut à une cuillerée à café de pâte. Asperger légèrement les choux

avec un peu d'eau afin de produire de la vapeur qui aide à les faire gonfler et à leur donner une surface croustillante. Faire cuire 20 mn au four, puis continuer à 180 °C pendant 50 mn. Éteindre le four et laisser les petits choux à l'intérieur pour leur permettre de sécher. (Selon le nombre de choux, il est souvent nécessaire de les faire cuire en deux fois.

3 Garniture : mettre le lait et la vanille dans une casserole. Retirer du feu avant de porter à ébullition et laisser refroidir légèrement. Battre les jaunes d'œufs, le sucre et la farine pour obtenir une crème épaisse et claire. Ajouter graduellement dans le lait chaud en continuant à battre. Remuer à feu moyen jusqu'à ce que la crème bouille et épaississe. Enlever du feu et ajouter la liqueur. Ôter la vanille. Recouvrir la surface de la crème anglaise d'un film alimentaire pour empêcher qu'une peau se forme à la surface et laisser refroidir complètement.

4 Fouetter la crème jusqu'à ce que des becs se forment au bout du fouet et incorporer à la crème anglaise. Verser dans une poche avec une douille de moins de 1 cm de diamètre. Enfoncer la pointe de la douille dans la base du choux et remplir de crème.

5 Mettre 2 tasses de sucre dans une casserole et 250 ml d'eau. Remuer à feu doux sans faire bouillir, pour dissoudre le sucre. Faire mijoter à feu doux jusqu'à ce que le caramel dore.

6 Pour assembler la pièce montée, commencer avec les gros choux. Plonger la base de chaque petit choux dans le caramel et les disposer en cercle, en les juxtaposant. Il n'est pas nécessaire d'en mettre au milieu. Construire un cône en terminant par les plus petits choux.

7 Faire le reste du caramel et y plonger deux fourchettes en les mettant dos à dos. Lorsqu'elles sont bien collantes, les séparer et entourer la pièce montée de fils de caramel.

Battre la farine dans l'eau bouillante et le beurre à l'aide d'une cuillère en bois.

Ajouter les œufs, un à la fois, en continuant à battre.

Si le mélange est prêt, on peut faire tenir une cuillère toute droite au milieu de la pâte.

Fouetter graduellement le lait chaud dans les jaunes d'œufs, puis ajouter le sucre et la farine.

Utiliser un petit couteau pointu pour faire un trou dans le fond de chaque petit chou.

Plonger la base des petits choux dans le caramel et former un cône.

Mille-feuille à la mangue

Préparation : 10 mn
Cuisson : 10 mn
Pour 8 personnes

1 paquet de pâte feuilletée toute prête
20 g de beurre, fondu
2 cuil. à café de sucre à la cannelle

Garniture
125 g de fromage frais crémeux
2 cuil. à soupe de sucre en poudre
125 ml de crème fraîche
1 cuil. à café d'essence de vanille
2 mangues, pelées et coupées en fines
    lamelles
Sucre glace, pour la décoration

● Préchauffer le four à 200 °C (th. 6).
Tapisser une plaque de four de papier
sulfurisé.
1 Couper la pâte en 8 rectangles de 6 x
12 cm. Poser sur la plaque. Enduire de
beurre fondu et saupoudrer de sucre à la
cannelle. Faire cuire jusqu'à ce que la pâte
soit dorée et gonflée. Laisser refroidir.
2 Réduire le fromage et le sucre en crème
dans un bol. Ajouter la crème fraîche
et l'essence de vanille et battre jusqu'à
l'obtention d'un mélange onctueux.
3 Couper chaque abaisse de pâte en deux
horizontalement. Enduire une moitié de
garniture, couvrir de lamelles de mangue
et poser l'autre moitié. Saupoudrer de
sucre glace.

Secrets du chef
Conservation : on peut cuire la pâte
quelques heures à l'avance.

1

2

3

Fourré à la rhubarbe

Préparation : 40 mn
+ réfrigération
Cuisson : 50 mn
Pour 6 personnes

1 tasse 1/2 de farine, tamisée
125 g de beurre refroidi, coupé en
morceaux
2 cuil. à soupe de sucre glace
1 jaune d'œuf
1 tasse de sucre
6 tasses de rhubarbe hachée
2 tasses de tranches de pommes épluchées
2 cuil. à café de zeste de citron râpé
3 morceaux de gingembre en conserve, coupé en tranches
2 cuil. à café de sucre
1 pincée de cannelle en poudre

1 Mixer la farine, le beurre et le sucre glace, pour obtenir un mélange sablé. Ajouter
le jaune d'œuf et 1 cuil. à soupe d'eau et
mélanger pour faire une pâte. Envelopper
d'un film alimentaire et réfrigérer 15 mn si
elle est trop molle. Préchauffer le four à
190 °C. Étaler la pâte pour faire un cercle
de 35 cm de diamètre et la poser sur une
assiette de 20 cm de diamètre, en laissant
les bords dépasser de l'assiette. Réfrigérer
pendant la préparation de la garniture.
2 Faire chauffer le sucre dans 125 ml d'eau,
pendant 4 à 5 mn, jusqu'à ce que le mélange devienne sirupeux. Ajouter la rhubarbe,
les tranches de pommes, le zeste de citron
et le gingembre, couvrir et laisser mijoter
pendant 5 mn, pour faire cuire la rhubarbe, tout en lui gardant sa forme.
3 Égoutter et faire refroidir la rhubarbe. La
mettre sur la pâte et saupoudrer de sucre
et de cannelle. Replier la pâte sur la garniture et faire cuire au four pendant 40 mn.
Saupoudrer de sucre glace et servir avec de
la glace ou de la crème anglaise.

1

2

3

Tiramisu

Préparation : 20 mn
Cuisson : aucune
Pour 6 à 8 personnes

750 ml de café noir corsé, refroidi
60 ml de rhum brun
2 œufs, jaunes et blancs séparés
1/4 de tasse de sucre en poudre
250 g de mascarpone
250 ml de crème liquide, fouettée
20 gros biscuits à la cuiller
2 cuil. à café de cacao en poudre

● Mélanger le café et le rhum dans un grand verre.
1 À l'aide d'un batteur électrique, battre les jaunes d'œufs et le sucre 3 mn pour obtenir une crème épaisse de couleur pâle. Ajouter le mascarpone et battre pour mélanger les ingrédients. Incorporer la crème fouettée avec une cuillère métallique.
2 Battre les blancs d'œufs en neige ferme. À l'aide d'une cuillère métallique, incorporer rapidement au mélange à la crème.
3 Plonger la moitié des biscuits, un par un, dans le mélange au café. Égoutter pour ôter l'excédent. Ranger les biscuits dans un plat de 20 x 25 x 6 cm. Répartir la moitié du mélange à la crème sur les biscuits.
4 Plonger le reste des biscuits dans le mélange au café et répéter l'opération. Lisser le dessus et saupoudrer de cacao. Réfrigérer 2 heures pour que les saveurs se développent et que le tiramisu devienne ferme. Servir avec des fruits frais.

Secrets du chef

Conservation : le tiramisu peut être préparé huit heures à l'avance. Réfrigérer jusqu'au moment de servir.

Variantes : ce grand classique italien connaît de nombreuses adaptations. On peut remplacer le rhum par n'importe quel alcool comme du marsala ou une liqueur. On peut également décorer le dessert de chocolat râpé.
Note : on peut servir le tiramisu avant la fin des deux heures de réfrigération, mais sa saveur ne se sera pas développée au maximum et il sera plus difficile à servir.

Pain perdu au caramel

Préparation : 40 mn
+ 1 nuit de réfrigération
Cuisson : 1 heure
Pour 6 à 8 personnes

2/3 de tasse de sucre en poudre
2 cuil. à soupe d'eau
500 g de panettone ou de brioche
1/2 tasse de sucre en poudre
500 ml de lait
2 larges lanières de zeste de citron, sans la peau blanche
3 œufs, légèrement battus

● Préchauffer le four à 180 °C (th. 4). Huiler ou beurrer un moule à cake de 23 x 13 x 7 cm (1,25 litre).
1 Mélanger le sucre et l'eau dans une petite casserole. Faire dissoudre le sucre à feu moyen sans laisser bouillir. Porter à ébullition, réduire le feu et laisser frémir 10 mn sans remuer pour obtenir un sirop doré. Attention à ne pas laisser brûler le sirop. Verser dans le moule et laisser refroidir.
2 À l'aide d'un couteau-scie, couper le panettone en tranches de 2 cm d'épaisseur et ôter la croûte. Superposer 3 couches de panettone dans le moule et combler les espaces vides avec des tranches recoupées.
3 Mélanger la 1/2 tasse de sucre, le lait et le zeste dans une casserole. Faire dissoudre le sucre à feu doux en remuant. Porter à ébullition, ôter du feu, transférer dans un verre gradué et laisser refroidir. Ôter le zeste et incorporer les œufs en fouettant. Verser le mélange petit à petit dans le moule, en laissant le panettone l'absorber entre chaque addition.
4 Mettre le moule dans une lèchefrite et couvrir d'eau à mi-hauteur. Faire cuire 50 mn au four. Ôter le moule de la lèchefrite, laisser refroidir, puis réfrigérer une nuit. Démouler sur un plat et couper en tranches. Le cas échéant, servir avec de la crème fraîche et des fruits.

Secrets du chef
Conservation : ce pain perdu au caramel se conserve deux jours au réfrigérateur.

1

2

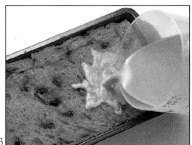
3

4

Riz noir
et glace à la noix de coco

Préparation : 45 mn + 6 h de congélation
Cuisson : 40 mn
Pour 6 personnes

Glace à la noix de coco
250 ml de crème liquide
500 ml de crème de coco
6 jaunes d'œufs
3/4 de tasse de sucre en poudre

Riz noir
1 tasse de riz noir gluant, trempé
    pendant 1 h
2 cm de gingembre frais, coupé en
    2 lamelles
1,25 l d'eau
1/2 tasse de cassonade
80 ml de jus de citron vert
2 cuil. à café de zeste de citron vert
    finement râpé

3 mangues

● Mélanger la crème liquide et la crème de coco dans une petite casserole.
1 Remuer à feu moyen et porter à ébullition. Ôter du feu. Mettre les jaunes d'œufs et le sucre dans une jatte. Battre 1 minute au fouet à main pour obtenir un mélange un peu épais. Verser le mélange chaud sur les œufs sans cesser de fouetter.
2 Remettre dans la casserole. Laisser épaissir 8 mn à feu doux, sans bouillir. Verser dans un moule rectangulaire. Couvrir de film alimentaire et laisser 4 heures au congélateur. Transférer dans une jatte, lisser au batteur électrique. Remettre 2 heures au congélateur.
3 Riz : rincer et mettre le riz dans une casserole. Ajouter le gingembre et l'eau, porter à ébullition 30 mn. Si nécessaire, rajouter de l'eau bouillante. Égoutter.
4 Dans une casserole, faire dissoudre le sucre dans le jus de citron vert en remuant à feu moyen. Ajouter le riz et le zeste. Faire cuire à feu doux en remuant jusqu'à ce que le liquide soit évaporé et le mélange épaissi. Laisser refroidir dans une jatte. Servir avec la glace à la noix de coco et des lamelles de mangue.

Secrets du chef
Conservation : la glace peut être préparée deux jours à l'avance et conservée au congélateur. Le riz peut être préparé 8 h à l'avance.

Crumble aux abricots, aux pommes et aux noisettes

Préparation : 30 mn
Cuisson : 25 mn
Pour 6 personnes

425 g d'oreillons d'abricot, égouttés
425 g de compote de pommes en
   morceaux, en conserve
1/4 de tasse de noisettes, pilées
1/4 de tasse de noix de pécan, pilées
2 cuil. à soupe d'amandes pilées
1/3 de tasse de cassonade

1/2 cuil. à café de cannelle en poudre
2 cuil. à soupe de farine
3/4 de tasse de chapelure (préparée
   avec du pain sec)
1 cuil. à soupe de noix de coco râpée
75 g de beurre, fondu
1/4 de cuil. à café de noix de muscade

● Préchauffer le four à 180 °C. Graisser un plat à gratin de 5 cm de hauteur.
1 Couper les abricots en deux. Étaler la compote de pommes au fond du plat. Poursuivre avec une couche de moitiés d'abricot, face coupée tournée vers le bas.
2 Mélanger les noisettes, les noix, les amandes, le sucre, la cannelle, la farine, la chapelure, la noix de coco et le beurre fondu ; remuer. Étaler sur les fruits. Saupoudrer de noix de muscade.
3 Enfourner pendant 25 mn, jusqu'à ce que le dessus soit doré et les fruits chauds. Servir chaud ou froid accompagné de crème fouettée ou de crème anglaise.

Secrets du chef
Conservation : préparer le mélange plusieurs heures à l'avance. Étaler la garniture sur le crumble juste avant de le mettre au four. Servir immédiatement.
Conseil : tous les fruits au sirop conviennent pour cette recette.

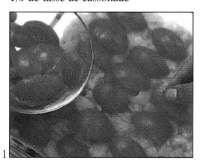

1

2

3

Coulis
et sauces

Coulis de fruits

Mettre 2 barquettes de fraises dans un mixer. Ajouter 1 cuil. à soupe de sucre glace et réduire en purée liquide. Le cas échéant, tamiser le mélange pour ôter les graines. En variante, on peut employer des myrtilles, des framboises ou des fruits tendres comme des mangues ou des kiwis. Les fruits congelés conviennent également. Servir le coulis sur de la glace, sur une mousse ou avec des meringues et des lamelles de fruits. *Pour environ 300 ml*

Sauce express au caramel

Mettre 75 g de beurre, 1 tasse de sucre roux et 185 ml de crème liquide dans une casserole. Faire dissoudre le sucre à feu doux en remuant. Porter à ébullition, réduire le feu et laisser frémir 2 mn. *Pour environ 350 ml*

Sauce chaude au caramel et au chocolat

Dans une petite casserole, mélanger 250 ml de crème liquide, 30 g de beurre, 1 cuil. à soupe de sirop de sucre de canne et 200 g de chocolat noir haché. Faire fondre le chocolat à feu doux en remuant pour obtenir un mélange onctueux. Servir chaud ou à température ambiante. *Pour 500 ml*

Sauce confiture

Mélanger 1 tasse de confiture, 250 ml d'eau et 1 cuil. à café de zeste de citron râpé finement. Remuer à feu moyen, et porter à ébullition. Laisser frémir 10 mn. Sucrer à volonté.   *Pour 500 ml*

Sabayon

Mettre 4 jaunes d'œufs, 1/4 de tasse de sucre en poudre et 120 ml de marsala, de xérès ou de vin blanc moelleux dans une jatte. Poser sur une casserole d'eau à peine frémissante. Fouetter 5 mn au batteur électrique pour obtenir un mélange épais et mousseux.   *Pour 500 ml*

Crème anglaise

Fouetter 3 jaunes d'œufs et 2 cuil. à soupe de sucre en une crème légère. Dans une casserole, porter 375 ml de lait à ébullition. Verser le mélange aux œufs sans cesser de remuer. Remettre dans la casserole et épaissir 5 mn à feu doux en remuant. Incorporer 1/2 cuil. à café d'essence de vanille.
Pour 430 ml

Dans le sens des aiguilles d'une montre, à partir du haut
à gauche : coulis de fruits, sauce confiture, crème anglaise, sabayon,
sauce express au caramel, sauce chaude au caramel et au chocolat.

37

Gaufres

Gaufres à la sauce au chocolat

Préparation : 20 mn
Cuisson : 15 à 20 mn
Pour 8 gaufres

250 g de farine avec levure incorporée
1 cuil. à café de bicarbonate de soude
2 cuil. à café de sucre en poudre
2 œufs
140 g de beurre
440 ml de babeurre
200 g de chocolat noir, haché
125 ml de crème liquide
1 cuil. à soupe de sirop de canne à sucre

1 Préchauffer le moule à gaufres. Tamiser la farine, le bicarbonate de soude, le sucre et une pincée de sel dans un grand bol et faire un puits au centre. Fouetter les œufs, 90 g de beurre fondu et le babeurre dans un pot et verser graduellement dans le puits en fouettant pour obtenir une pâte lisse. Laisser reposer pendant 10 minutes.
2 Mettre le reste de beurre, le chocolat, la crème et le sirop dans une casserole. Remuer à feu doux pour obtenir un mélange onctueux. Enlever du feu et garder chaud.
3 Beurrer le moule à gaufres et verser 1/2 tasse de pâte au centre. La répartir sur la surface du moule.
4 Fermer le couvercle et faire cuire 2 minutes. Lorsque la gaufre est dorée et croustillante, la poser sur une assiette et la recouvrir d'un torchon pour la garder au chaud pendant la cuisson du reste de la pâte. Servir avec de la glace à la vanille et la crème au chocolat chaude.

1

2

3

4

Fouetter les œufs, l'essence de vanille, le lait de soja et le beurre dans un pot.

Badigeonner les deux surfaces du moule avec du beurre fondu.

Verser la pâte sur la surface du moule et la répartir avec le dos d'une cuillère.

Ajouter délicatement les bananes à la sauce caramel.

Gaufres aux noix de macadamia et bananes à la sauce caramel

Préparation : 35 mn
Cuisson : 30 mn
Pour 4 gaufres

250 g de farine
2 cuil. à café de levure chimique
125 g de noix de macadamia, grillées et grossièrement hachées
50 g de cassonade
2 œufs
1 cuil. à café d'essence de vanille
440 ml de lait de soja
50 g de beurre, fondu
150 ml de crème fraîche épaisse

Bananes à la sauce caramel
50 g de beurre
100 g de cassonade
1 cuil. à soupe de brandy
300 ml de crème liquide
4 bananes, coupées en longueur

1 Faire chauffer le moule à gaufres. Tamiser la farine et la levure dans un bol et ajouter les noix de macadamia et la cassonade. Faire un puits au centre. Fouetter les œufs, l'essence de vanille, le lait de soja et le beurre et verser graduellement dans le puits, en fouettant pour obtenir une pâte presque lisse.
2 Beurrer les deux surfaces du moule à gaufres et le faire chauffer. Verser 1/2 tasse de pâte au centre et la répartir à la surface du moule. Le fermer et faire cuire 4 minutes, jusqu'à ce que la gaufre soit dorée et croustillante. Enlever du moule et garder au chaud pendant la cuisson du reste de la pâte.
3 **Bananes à la sauce caramel :** faire fondre le beurre dans une poêle, à feu moyen. Ajouter la cassonade et faire cuire 3 minutes pour la faire dissoudre. Ajouter le brandy et la crème, et porter à ébullition. Continuer la cuisson à feu doux pendant 3 minutes. Ajouter les bananes et faire cuire pendant 2 minutes, jusqu'à ce qu'elles soient légèrement dorées.
4 Couper les gaufres en quartiers et servir avec de la crème épaisse et les bananes au caramel.

Secrets du chef
Conseil : remplacer les noix de macadamia par des noix de pécan, des noisettes ou des amandes et les bananes par des pommes.

Gaufres à l'orange et au fruit de la Passion nappées de crème de citron

Préparation : 40 minutes
Cuisson : 45 minutes
Pour 4 à 6 gaufres

Crème de citron
4 œufs
180 g de sucre en poudre
2 cuil. de café de zeste de citron râpé
125 ml de jus de citron
125 g de beurre, coupé en morceaux

250 g de farine
1/2 cuil. à café de levure chimique
90 g de sucre en poudre
1 cuil. de café de zeste d'orange râpé
2 œufs, blancs et jaunes séparés
250 ml de lait
125 g de pulpe de fruit de la Passion
60 g de beurre, fondu

1 Pour la crème de citron, mettre les œufs, le sucre, le zeste, le jus de citron le beurre et 3 cuil. à soupe d'eau dans un petit bol résistant à la chaleur. Battre au bain-marie jusqu'à ce que le mélange soit suffisamment ferme pour recouvrir le dos d'une cuillère en métal. Retirer du feu, couvrir et laisser refroidir.
2 Faire chauffer un gaufrier. Tamiser la farine et la levure chimique dans un bol. Ajouter le sucre et le zeste d'orange puis creuser un puits au centre. Dans un autre bol mélanger les jaunes d'œufs, le lait, la pulpe de fruit de la Passion et le beurre fondu. Verser ce mélange lentement dans le puits tout en battant jusqu'à obtention d'une masse homogène.
3 Battre en neige ferme les blancs d'œufs dans un petit récipient bien propre (toute trace de matière grasse empêche la prise du blanc d'œuf). Incorporer délicatement les blancs en neige dans la pâte.
4 Badigeonner les deux surfaces du gaufrier avec du beurre fondu. Verser 1/2 tasse de pâte au centre du gaufrier et la repartir un peu vers l'extérieur. Fermer le gaufrier et faire cuire pendant 1 ou 2 minutes jusqu'à ce que la gaufre soit dorée. Disposer sur un plat et réserver au chaud. Procéder de même manière avec la pâte restante. Servir avec la crème de citron et de la glace.

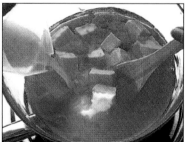

Mélanger les ingrédients de la crème de citron au bain-marie.

Battre jusqu'à ce que la crème de citron recouvre le dos d'une cuillère en métal.

Battre les jaunes d'œufs, le lait, la pulpe de fruit de la Passion et le beurre.

Battre les blanc d'œufs dans un récipient propre et sec jusqu'à formation des becs.

Gaufres au yaourt et aux pistaches et leur sauce aux myrtilles

Préparation : 35 mn
Cuisson : 20 à 30 mn
Pour 4 personnes

Sauce aux myrtilles
300 g de myrtilles fraîches
350 ml d'eau
1 bâton de cannelle
60 ml de sirop de sucre de
  canne
2 cuil. à soupe de cassonade
1 cuil. à café de zeste de citron
  râpé
Yaourt nature, pour servir

125 g de farine
125 g de farine avec levure
  incorporée
2 cuil. à soupe de sucre
  en poudre
1/2 cuil. à café de noix de muscade
  en poudre
100 g de pistaches, finement
  hachées
600 g de yaourt aromatisé au miel
2 œufs, jaunes et blancs séparés
60 g de beurre, fondu

1 **Sauce aux myrtilles :** mettre les myr-tilles, le bâton de cannelle et l'eau dans une petite casserole. Faire cuire à feu doux pendant 15 minutes. Sortir du feu et enlever le bâton de cannelle. Ajouter le sirop de sucre de canne, la cassonade et le zeste de citron et remuer délicate-ment, jusqu'à ce que le sucre soit dissous. Bien mélanger et laisser refroidir.
2 Préchauffer le moule à gaufres. Tami-ser les farines dans un grand bol. Ajou-ter le sucre, la noix de muscade et les pistaches et faire un puits au centre. Fouetter le yaourt, les jaunes d'œufs et le beurre dans un pot et verser lentement dans le puits, en fouettant toujours pour obtenir une pâte presque lisse.
3 Battre les œufs en neige dans un bol propre, avec le batteur électrique, jus-qu'à ce que des becs se forment au bout des fouets.
4 Verser une cuillerée de blanc en neige dans la pâte pour la rendre moins épais-se et incorporer le reste des blancs.
5 Badigeonner le moule à gaufres de beurre fondu. Verser 1/2 tasse de pâte dans le centre du moule et bien la répartir.
6 Fermer le moule et faire cuire de 3 à 4 minutes, jusqu'à ce que la gaufre soit dorée. Enlever du moule et garder au chaud pendant la cuisson du reste de la pâte. Verser les myrtilles au citron sur les gaufres et servir avec une cuille-rée à soupe de yaourt.

Secrets du chef
Conseil : pour que les gaufres soient bien croustillantes, les passer sous le gril ou au grille-pain.
Note : pour préparer le yaourt, mettre 500 ml de lait écrémé ou entier dans une casserole et faire bouillir, jusqu'à ce que la surface soit mousseuse ; continuer la cuisson à feu doux pendant 2 minutes. Laisser tiédir. Mélanger 2 cuillerées à soupe de yaourt nature avec un peu de lait chaud et ajouter le reste du lait. Verser dans un bol en Pyrex ou dans des pots stérilisés et fermer hermétique-ment. Laisser le yaourt dans un endroit chaud pendant 6 heures (envelopper les récipients dans un torchon), pour laisser prendre. Réfrigérer environ 2 heures avant de servir.

Ajouter le sirop de sucre de canne, la cassonade et le zeste de citron aux myrtilles.

Ajouter le sucre, la noix de muscade et les pistaches à la farine.

Battre les blancs d'œufs en neige, jusqu'à ce que des becs se forment au bout du fouet.

Incorporer le reste des blancs en neige avec une cuillère et remuer délicatement.

Répartir la pâte à la surface du moule à gaufres.

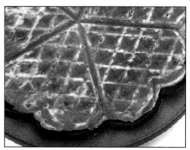

Fermer le moule et faire cuire la gaufre pendant 3 ou 4 minutes.

Gaufres aux flocons d'avoine, aux bananes et au yaourt

Préparation : 20 mn
Cuisson : 25 mn
Pour 5 gaufres

250 g de yaourt nature
60 ml de jus d'orange
2 cuil. à soupe de miel
1 cuil. à soupe de zeste de citron râpé
1/2 cuil. à café de gingembre frais râpé
70 g de flocons d'avoine
80 g de farine
1 cuil. à café de levure chimique
1/2 cuil. à café de bicarbonate de soude
2 œufs
180 ml de lait
2 cuil. à soupe d'huile
1 cuil. à café d'essence de vanille
1 banane bien mûre, écrasée

1 Mélanger le yaourt, le jus d'orange, le miel, le zeste de citron et le gingembre dans un bol. Couvrir et réfrigérer.
2 Préchauffer le moule à gaufres. Mélanger les flocons d'avoine, la farine, la levure chimique et le bicarbonate de soude et faire un puits au centre. Fouetter les œufs, le lait, l'huile et l'essence de vanille dans un pot. Ajouter les bananes et battre pour bien mélanger. Verser dans le puits et battre pour obtenir une pâte presque lisse.
3 Badigeonner le moule à gaufres de beurre fondu. Verser 1/2 tasse de pâte dans le centre du moule et bien la répartir. Faire cuire de 4 à 5 minutes, jusqu'à ce que les gaufres soient dorées et croustillantes. Garder au chaud pendant la cuisson du reste de la pâte. Servir chaud avec le yaourt au miel et garnir de bananes fraîches.

Ajouter les bananes écrasées à la préparation aux œufs.

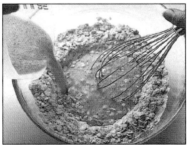

Verser les ingrédients liquides au centre des éléments secs et fouetter pour mélanger.

Verser une bonne 1/2 tasse de pâte au centre du moule.

Gaufres garnies de compote à la rhubarbe et de crème à la cannelle

Préparation : 25 mn
Cuisson : 30 mn
Pour 4 personnes

1 botte de rhubarbe, hachée
125 g de sucre en poudre
150 g de farine avec levure incorporée
125 g de farine
2 cuil. à café de levure chimique
3 cuil. à soupe de cassonade

2 œufs
100 g de beurre, fondu
440 ml de babeurre
1 cuil. à soupe de zeste d'orange râpé

Crème à la cannelle
300 ml de crème liquide
1 cuil. à café d'essence de vanille
1 cuil. à café de cannelle en poudre

1 Mettre la rhubarbe et le sucre dans une casserole contenant 125 ml d'eau. Faire cuire à feu doux jusqu'à ce que le sucre soit dissous. Porter à ébullition et continuer à feu doux de 7 à 10 minutes, jusqu'à ce que la rhubarbe soit bien ramollie et commence à se défaire.
2 Préchauffer le moule à gaufres. Tamiser les farines et la levure chimique dans un bol et remettre le son. Ajouter la cassonade et faire un puits au centre. Mélanger les œufs, le beurre, le babeurre et le zeste d'orange et verser dans le puits en fouettant pour obtenir une pâte lisse. (Ajouter un peu de lait si la pâte est trop épaisse).
3 Beurrer les deux surfaces du moule à gaufres. Verser 1/2 tasse de pâte au centre du moule et la répartir sur toute la surface. Fermer le moule et faire cuire de 3 à 5 minutes, jusqu'à ce que la gaufre soit dorée et croustillante. Garder au chaud pendant la cuisson du reste de la pâte.
4 Crème à la cannelle : battre la crème, l'essence de vanille et la cannelle jusqu'à ce que des becs se forment sur le fouet. Servir avec les gaufres et la rhubarbe.

Faire cuire la rhubarbe à feu doux, jusqu'à ce qu'elle soit ramollie.

Ajouter les ingrédients liquides dans le puits au centre des ingrédients secs.

Faire cuire la gaufre de 3 à 5 minutes, jusqu'à ce qu'elle soit dorée et croustillante.

Gaufres express

Des amis arrivent à l'improviste et vous n'avez rien à leur offrir.
Pensez aux délicieuses petites gaufres que vous avez préparées
en suivant la recette de la page 39, et que vous avez pris soin
de congeler (vous pouvez les garder jusqu'à 1 mois au
congélateur). Faites-les décongeler et passez-les au gril ou au
grille-pain pour les rendre croustillantes. Mais s'il ne vous reste
que des gaufres achetées dans le commerce, préparez-les avec
une garniture alléchante, comme vous l'indiquent les recettes
ci-dessous.

Gaufres au sirop d'érable

Fouetter 60 ml de lait et 2 œufs dans un plat creux et y plonger 4 à 6 gaufres, une à la fois. Les laisser quelques secondes de
chaque côté pour qu'elles absorbent le mélange sans devenir
trop spongieuses. Faire fondre un peu de beurre dans une poêle
antiadhésive. Lorsque le beurre commence à mousser, disposer
deux ou trois gaufres dans la poêle et faire cuire 2 à 3 minutes
de chaque côté, jusqu'à ce qu'elles soient bien dorées et croustillantes et que le mélange à l'œuf soit bien pris. Saupoudrer de
sucre glace et garnir de glace à la vanille, de sirop d'érable et
de fraises fraîches. Servir immédiatement.

Pour 4 à 6 personnes

Gaufres à la cannelle

Passer 4 gaufres sous le gril préchauffé pour les faire dorer. Les
badigeonner d'un côté de beurre fondu et saupoudrer de sucre
en poudre et de cannelle en poudre. Les remettre sous le gril
pendant 30 secondes et les retourner. Garnir de fraises ou de
fruits rouges et d'une cuillerée à soupe de mascarpone. Servir
immédiatement.

Pour 2 à 4 personnes

Gaufres chaudes au caramel

Passer 4 gaufres au grille-pain pour les dorer. Faire chauffer 80 g de beurre dans une poêle antiadhésive. Lorsque le beurre commence à mousser, retourner les gaufres rapidement pour les recouvrir de beurre. Enlever de la poêle et les garder au chaud dans le four très doux, en prenant soin de ne pas les rendre spongieuses. Verser 4 cuillerées à soupe de cassonade dans la poêle et remuer avec le reste du beurre. Ajouter 170 ml de crème liquide et 2 cuil. à soupe de rhum ou de brandy. Laisser cuire pendant 1 à 2 minutes. Servir la sauce sur les gaufres et ajouter une boule de crème glacée.   *Pour 2 à 4 personnes*

Gaufres à la ricotta vanillée

Battre 250 g de ricotta fraîche au batteur électrique pour obtenir une consistance onctueuse. Ajouter 2 à 3 cuil. à café de sucre, 2 cuil. à café d'essence de vanille et un peu de zeste d'orange, de citron ou de citron vert râpé. Battre pour bien mélanger. On peut aussi passer tous les ingrédients au mixeur. Faire dorer 4 gaufres dans un grille-pain et servir avec des pommes cuites à la vapeur ou frites, et la ricotta battue.
Pour 2 à 4 personnes

À partir du haut à gauche : Gaufres à la cannelle ; Gaufres à la ricotta vanillée ; Gaufres au caramel ; Gaufres au sirop d'érable.

Pancakes

Pancakes au sirop d'érable

Préparation : 5 mn
+ 20 mn de repos
Cuisson : 15 à 20 mn
Pour 9 pancakes

180 g de farine avec levure
     incorporée
1 cuil. à café de levure chimique
2 cuil. à soupe de sucre en poudre
1 pincée de sel
2 œufs, légèrement battus
250 ml de lait
60 g de beurre, fondu
100 g de beurre, fouetté (avec un
     batteur électrique ou une cuillère
     en bois)
Sirop d'érable pour servir

1 Tamiser la farine, la levure chimique, le sucre et le sel dans un bol et faire un puits au centre. Mélanger les œufs, le lait et le beurre dans un pot et verser dans le puits en une fois, en fouettant pour obtenir une consistance onctueuse. Recouvrir le bol de film fraîcheur et laisser reposer la pâte pendant 20 minutes.

2 Faire chauffer une poêle et la beurrer ou l'huiler légèrement. Verser 1/4 de tasse de pâte dans la poêle et la tourner délicatement pour former un pancake de 10 cm de diamètre. Faire cuire à feu doux pendant 1 minute, jusqu'à ce que le dessous soit bien doré.

3 Retourner le pancake et faire cuire l'autre côté très rapidement, pendant une dizaine de secondes. Mettre sur un plat et garder au chaud pendant la cuisson des autres pancakes. Servir en pile, chauds ou froids, avec du beurre fouetté et du sirop d'érable.

Avec un batteur électrique, fouetter le beurre en crème.

Ajouter le mélange en une seule fois dans le puits formé au centre des ingrédients.

Verser 1/4 de tasse de pâte dans la poêle chauffée et beurrée.

Lorsque le dessous du pancake est doré, le retourner et faire dorer l'autre côté.

Pancakes aux myrtilles

Préparation : 10 à 15 mn
Cuisson : 18 mn
Pour 6 pancakes

250 g de farine
2 cuil. à café de levure chimique
1 cuil. à café de bicarbonate de soude
1 cuil. à café de sel
90 g de sucre
2 œufs
80 g de beurre, fondu
300 ml de lait
300 g de myrtilles, fraîches
    ou surgelées

1 Tamiser la farine, la levure chimique, le bicarbonate de soude et le sel dans un grand bol. Ajouter le sucre et faire un puits au centre. Avec une fourchette, battre les œufs, le beurre fondu et le lait dans un pot et verser dans le puits en remuant pour humidifier la farine (ajouter un peu de lait pour obtenir une pâte plus liquide). Ajouter délicatement les myrtilles.
2 Faire chauffer la poêle et la graisser légèrement. Verser 1/2 tasse de pâte dans la poêle et étaler pour faire un pancake de 15 cm de diamètre. Faire cuire à feu doux jusqu'à ce que des bulles apparaissent.
3 Retourner les pancakes délicatement et faire cuire l'autre côté. Disposer sur une assiette et recouvrir d'un torchon pour les garder au chaud pendant la cuisson des autres pancakes. Ils sont délicieux chauds, arrosés de sirop d'érable, de crème et de myrtilles fraîches.

Secrets du chef

Note : si vous utilisez des myrtilles congelées, il n'est pas nécessaire de les faire décongeler.

1

2

3

Pancakes au chocolat

Préparation : 35 mn
Cuisson : 30 mn
Pour 16 pancakes

250 g de farine avec levure
   incorporée
2 cuil. à soupe de cacao en poudre
1 cuil. à café de bicarbonate de soude
60 g de cassonade
130 g de pépites de chocolat noir
250 ml de lait
250 ml de crème liquide
2 œufs, légèrement battus
30 g de beurre, fondu
3 blancs d'œufs
Crème fouettée ou glace

Sauce au chocolat
150 g de chocolat noir, en morceaux
30 g de beurre
2 cuil. à soupe de sirop d'érable
100 g de cassonade
125 ml de crème liquide

1 Tamiser la farine, le cacao et le bicarbonate de soude dans un grand bol. Ajouter le sucre et le pépites et faire un puits au centre. Fouetter le lait, la crème, les œufs et le beurre dans un pot et ajouter ce mélange graduellement dans le puits. Remuer pour bien mélanger.
2 Battre les blancs d'œufs en neige, dans un bol bien propre, jusqu'à ce que des becs se forment au bout des fouets. Ajouter une cuillerée à soupe de blanc en neige dans la pâte pour la rendre plus liquide, puis incorporer le reste.
3 Faire chauffer la poêle et la beurrer ou l'huiler. Verser 1/3 de tasse de pâte dans

la poêle et faire cuire à feu moyen pour dorer le dessous. Retourner le pancake et faire dorer l'autre côté. Mettre dans un plat et recouvrir avec un torchon pendant la cuisson du reste de la pâte.
4 **Sauce au chocolat :** mettre tous les ingrédients dans une casserole et remuer à feu doux pour faire fondre et obtenir une consistance onctueuse. Servir les pancakes chauds avec de la crème fouettée ou de la glace arrosés de sauce au chocolat.

Pancakes aux raisins secs

Préparation : 7 mn
   + 1 à 2 h pour faire tremper les raisins
   secs
Cuisson : 18 mn
Pour 6 pancakes

125 g de raisins secs
250 ml d'eau bouillante
100 g de farine complète

1 cuil. à soupe de cassonade
1 cuil. à café 1/2 de cannelle en
   poudre
1 cuil. à café de levure chimique
1/2 cuil. à café de bicarbonate
   de soude
2 œufs
250 ml de lait

1 Mettre les raisins dans un bol et les
faire tremper de 1 à 2 heures. Bien les
égoutter.
2 Tamiser la farine dans un grand bol et
remettre le son. Ajouter le sucre, la can-

nelle, la levure chimique et le bicarbonate de soude et faire un puits au centre.
Mélanger les œufs et le lait dans un pot
et verser dans le puits en remuant pour
former une pâte lisse. Ajouter les raisins.
3 Faire chauffer une poêle (antiadhésive
de préférence), la beurrer ou l'huiler
légèrement. Verser 1/2 tasse de pâte dans
la poêle et faire cuire, jusqu'à ce que des
bulles se forment à la surface et que le
dessus soit un peu sec. La retourner et
faire dorer l'autre côté. Enlever de la
poêle et servir avec du miel ou du sirop
d'érable, et des fruits frais.

Mélanger le sucre, la cannelle, la levure et le
bicarbonate de soude avec la farine.

Faire tremper les raisins pour les faire gonfler
avant de les ajouter à la pâte.

Retourner le pancake lorsque des bulles se
forment à la surface.

Pancakes aux épices et crème à la cannelle

Préparation : 20 mn
+ 10 mn de repos
Cuisson : 20 à 30 mn
Pour 12 pancakes

60 g de farine avec levure
    incorporée
60 g de farine
2 cuil. à café de mélange d'épices
1/2 cuil. à café de cardamome en
    poudre
1 cuil. à soupe de cassonade
250 ml de lait
2 œufs
Framboises fraîches, pour servir

Crème à la cannelle
90 g de crème fraîche
2 cuil. à soupe de yaourt nature
1 cuil. à soupe de miel ou de sirop
    d'érable
1/4 de cuil. à café de cannelle en
    poudre

1 Tamiser ensemble les farines, les épices et le sucre dans un grand bol et faire un puits au milieu. Mélanger le lait et les œufs dans un pot et verser dans le puits, en fouettant pour obtenir une pâte lisse. Recouvrir de film fraîcheur et laisser reposer 10 minutes.
2 Crème à la cannelle : mélanger tous les ingrédients dans un petit bol, recouvrir et mettre au réfrigérateur.
3 Faire chauffer une poêle et la beurrer ou l'huiler légèrement (utiliser une poêle antiadhésive de préférence). Verser 2 cuillerées à soupe de pâte dans la poêle, tourner délicatement pour former un pancake de 12 cm de diamètre environ.

Faire cuire à feu moyen pendant 1 minute, jusqu'à ce que des bulles apparaissent à la surface et que le dessous soit doré. Retourner et faire dorer l'autre côté. Disposer sur une assiette et recouvrir d'un torchon pour garder au chaud pendant la cuisson du reste de la pâte. Servir chaud avec de la crème à la cannelle et des framboises fraîches, puis saupoudrer de sucre glace.

Verser les ingrédients liquides dans le puits formé au centre des ingrédients secs.

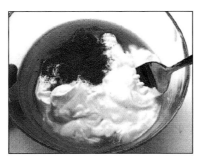

Pour préparer la crème à la cannelle, mélanger les ingrédients dans un petit bol.

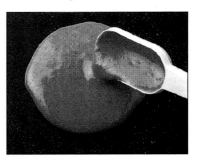

Verser 2 cuil. à soupe de pâte dans la poêle chauffée et huilée.

Pancakes au citron et aux bananes

Préparation : 10 à 15 mn
Cuisson : 15 mn
Pour 6 pancakes

150 g de farine avec levure incorporée, tamisée
60 g de sucre

1/2 cuil. à café de bicarbonate de soude
1/4 de cuil. à café de sel
Zeste d'un citron finement râpé
250 ml de lait
2 œufs
2 bananes, coupées en fines rondelles
60 g de beurre, fondu

1 Tamiser la farine, le sucre, le bicarbonate de soude et le sel dans un grand bol. Ajouter le zeste de citron et faire un puits au centre. Battre ensemble le lait et les œufs dans un pot et verser dans le puits, en fouettant pour former une pâte bien lisse. Incorporer les bananes et le beurre fondu.

2 Faire chauffer une poêle et la beurrer ou l'huiler légèrement. Verser 1/2 tasse de pâte dans la poêle et faire cuire le pancake, jusqu'à ce que des bulles apparaissent à la surface.

3 Retourner délicatement le pancake et faire cuire l'autre côté. Disposer sur une assiette et recouvrir d'un torchon pour garder chaud pendant la cuisson des autres pancakes. Saupoudrer de sucre glace et servir avec une salade de fruits frais.

Ajouter le zeste de citron aux ingrédients secs et faire un puits au centre.

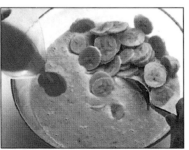

Incorporer les bananes et le beurre fondu.

Verser 1/2 tasse de pâte à la banane pour chaque pancake.

Pancakes à la ricotta, aux noix et au sirop d'érable

Préparation : 10 à 15 mn
Cuisson : 15 mn
Pour 10 pancakes

90 g de noix, coupées en morceaux
3 œufs
2 cuil. à soupe de sucre en poudre
250 g de ricotta
1 cuil. à café de zeste de citron râpé
30 g de farine, tamisée
50 g de beurre, fondu
Sirop d'érable et fraises, pour servir

1 Répartir les noix sur une plaque tapissée de papier d'aluminium et les faire passer au gril préchauffé pendant 1 ou 2 minutes, pour les faire dorer. Laisser refroidir et couper en petits morceaux.
2 Fouetter ensemble les œufs et le sucre dans un bol. Ajouter la ricotta et le zeste de citron en battant, pour obtenir une consistance onctueuse.
3 Ajouter la farine en une seule fois dans le bol et verser le beurre fondu sur le côté du bol. Remuer pour bien mélanger, mais ne pas trop travailler la pâte.
4 Faire chauffer la poêle et la beurrer ou l'huiler légèrement. Verser des cuillerées à soupe de pâte et répartir pour former des petits pancakes de 6 cm de diamètre, en laissant de la place entre chacun d'eux. Faire cuire 2 à 3 minutes, jusqu'à ce que des petites bulles apparaissent sur le dessus et que les pancakes semblent fermes. Les retourner et faire dorer l'autre côté. Disposer sur une assiette et recouvrir d'un torchon pour garder au chaud pendant le reste de la cuisson. Servir chaud avec du sirop d'érable, saupoudrer de noix grillées et ajouter des fraises fraîches.

Secrets du chef

Note : toutes sortes de noix peuvent être utilisées pour cette recette (noisettes, noix de macadamia, noix de pécan ou amandes). Les passer au four permet de dégager toute leur saveur et de se débarrasser facilement de la peau. Les mettre dans un torchon et les frotter délicatement pour les émonder.

Passer les noix quelques minutes au gril, sur un papier d'aluminium.

Ajouter la ricotta dans le mélange d'œuf et de sucre.

Ajouter la farine en une seule fois et verser le beurre fondu sur le côté du bol.

Répartir la pâte dans la poêle pour former de petits pancakes de 6 cm chacun.

Pikelets aux fruits rouges et à la liqueur de myrtilles

Préparation : 15 mn
      + 4 h de macération
Cuisson : 15 mn
Pour 25 à 30 pikelets

150 g de myrtilles
150 de framboises
80 ml de liqueur de myrtilles
125 g de farine avec levure incorporée
1 bonne pincée de sel
1 œuf
60 g de sucre

Tamiser la farine et le sel dans un bol avant de faire un puits au centre.

Pikelets aux myrtilles

Préparation : 15 mn
Cuisson : 20 mn
Pour environ 24 pikelets

125 g de farine avec levure incorporée
2 cuil. à soupe de sucre en poudre
1 œuf
20 g de beurre, fondu

Mélanger l'œuf, le beurre, l'essence de vanille et le lait dans un pot.

180 ml de lait
25 g de beurre, fondu
150 g de mascarpone

1 Mélanger les myrtilles, les framboises et la liqueur dans un bol. Recouvrir et réfrigérer pendant 4 heures en remuant délicatement deux ou trois fois. (On peut aussi laisser macérer toute une nuit).
2 Tamiser la farine et le sel dans un bol et faire un puits au centre.
3 Battre ensemble l'œuf et le sucre pour obtenir un mélange épais et ajouter le lait en continuant à battre. Verser dans le puits avec le beurre fondu, et fouetter pour que la pâte soit presque lisse.

Avec une cuillère en bois, faire un puits au centre des ingrédients secs.

1 cuil. à café d'essence de vanille
180 ml de lait
150 g de myrtilles fraîches

1 Tamiser la farine dans un bol et ajouter le sucre en poudre. Faire un puits au centre.
2 Fouetter ensemble l'œuf, le beurre, l'essence de vanille et le lait et verser dans le puits. Fouetter pour bien mélanger. Ne pas trop travailler la pâte. Ajouter les myrtilles en remuant délicatement.
3 Faire chauffer la poêle et la beurrer ou l'huiler. Verser des cuillerées à soupe de

Ajouter les myrtilles à la pâte et remuer délicatement pour bien mélanger.

4 Faire chauffer la poêle (antiadhésive de préférence), et la beurrer ou l'huiler. Verser des cuillerées à soupe de pâte dans la poêle en laissant assez de place entre les pikelets. Faire cuire à feu moyen jusqu'à ce que des bulles se forment à la surface et que le dessous soit doré. Retourner les pikelets et faire cuire l'autre côté. Les disposer sur une grille pour les laisser refroidir pendant la cuisson du reste de la pâte. Répartir le mascarpone généreusement sur chaque pikelet et ajouter les fruits. Arroser légèrement de liqueur avant de servir.

Secrets du chef
Note : remplacer les fruits frais par des fruits en boîte, mais bien les égoutter.

Beurrer ou huiler légèrement la poêle.

pâte dans la poêle, en laissant assez de place entre chaque pancake. Faire cuire jusqu'à ce que des bulles se forment à la surface et que le dessous soit doré. Retourner les pikelets et faire dorer l'autre côté. Disposer sur une assiette et garder chaud pendant la cuisson du reste de la pâte. Servir chaud avec du sirop d'érable ou du miel.

Secrets du chef
Conseil : garder les pikelets au chaud sous un torchon ou au four préchauffé à 150 °C (th. 2).

Cuire les pikelets jusqu'à ce que des bulles se forment à la surface et les retourner.

Pikelets aux fruits rouges et à la liqueur de myrtilles (ci-dessus) et pikelets aux myrtilles.

Pikelets à la crème de Kahlua

Préparation : 25 mn
Cuisson : 20 mn
Pour 15 à 20 pikelets

Crème de Kahlua
2 cuil. à café de café instantané
2 cuil. à soupe de sucre en poudre
60 ml de Kahlua
300 ml de crème liquide, légèrement
  fouettée

60 ml d'eau bouillante
1 cuil. à soupe d'expresso instantané
1/4 de cuil. à café de cannelle en poudre
250 g de farine avec levure incorporée
100 g de cassonade

2 œufs
250 g de lait
Fraises fraîches, pour servir

1 **Crème de Kahlua :** mélanger l'expresso
instantané, le sucre et le Kahlua dans une
petite casserole. Remuer à feu doux jusqu'à ce que le sucre soit dissous. Laisser
refroidir et ajouter la crème graduellement, en remuant, jusqu'à l'obtention
d'une consistance onctueuse. Recouvrir
et réfrigérer jusqu'au moment de servir.
2 Verser l'eau bouillante sur le café
instantané et la cannelle dans un bol.
Remuer pour bien faire dissoudre et
laisser de côté.
3 Tamiser la farine dans un bol et ajouter le sucre. Faire un puits au centre.
Fouetter les œufs, le lait et le café refroidi dans un pot et verser graduellement
dans le puits. Fouetter pour bien mélanger et obtenir une pâte lisse. Verser des

cuillerées à soupe de pâte dans la poêle
en laissant assez de place entre chaque
pancake.
4 Faire cuire à feu moyen, jusqu'à ce que
le dessous soit bien doré et que des
petites bulles se forment à la surface.
Retourner et faire cuire l'autre côté. Disposer sur une assiette et recouvrir d'un
torchon pour garder chaud pendant la
cuisson des autres pancakes. Servir avec
des fraises et la crème de Kahlua, saupoudré de cacao en poudre.

Crêpes à la ricotta et sauce à l'orange

Préparation : 40 mn
Cuisson : 30 mn
Pour 4 personnes

Crêpes

2/3 de tasse de farine
1 pincée de sel
1 œuf légèrement battu
330 ml de lait

Garniture

1/4 de tasse de raisins secs
250 ml de jus d'orange
200 g de ricotta
1 cuil. à café de zeste d'orange finement râpé
1/4 de cuil. à café d'essence de vanille

Sauce à l'orange

50 g de beurre
45 g de sucre en poudre
1 cuil. à soupe de Grand Marnier

● Tamiser la farine et le sel au-dessus d'une jatte moyenne.

1 Creuser un puits au centre. Ajouter peu à peu l'œuf et le lait. Battre au fouet jusqu'à absorption du liquide et élimination des grumeaux. Couvrir de film alimentaire et laisser reposer 30 mn. Verser 3 cuil. à soupe de pâte dans une crêpière à peine graissée. Remuer pour former une crêpe de 16 cm de diamètre. Faire dorer le dessous 1 à 2 mn à feu moyen. Retourner et faire cuire l'autre face 30 secondes. Dresser sur une assiette. Répéter l'opération pour le reste de la pâte. Intercaler les crêpes de papier paraffiné. Préchauffer le four à 180 °C (th. 3).

2 Garniture : mettre les raisins secs et le jus d'orange dans un bol. Laisser macé-

rer 15 mn. Égoutter en réservant le jus. Mélanger la ricotta, le zeste, l'essence de vanille et les raisins secs dans une jatte. Placer quelques cuil. à soupe de garniture sur chaque crêpe et plier en quatre. Poser 2 crêpes fourrées sur chaque assiette résistant à la chaleur et passer 10 mn au four.

3 Sauce : faire fondre le beurre avec le sucre à feu doux. Ajouter le jus réservé et faire dissoudre le sucre en remuant. Porter à ébullition. Laisser réduire 10 mn. Incorporer le Grand Marnier. Laisser refroidir 4 mn et arroser les crêpes chaudes. Servir tout de suite avec, le cas échéant, des segments d'oranges pochés.

Secrets du chef

Conservation : les crêpes peuvent être cuites 4 h à l'avance. Couvrir et réfrigérer. Garnir et réchauffer juste avant de servir.

1

2

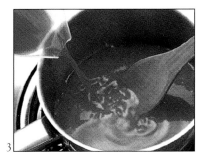

3

Aumônières à la noix de coco, fourrées aux figues

Préparation : 30 mn
Cuisson : 30 mn
Pour 4 personnes

Figues macérées
370 g de figues séchées
1 cuil. à soupe de cassonade
250 ml de jus d'orange
60 ml de brandy
1 feuille de laurier
3 clous de girofle
1 bâton de cannelle

Crème au mascarpone
150 g de mascarpone
2 cuil. à soupe de cassonade
2 cuil. à soupe de crème fraîche
  épaisse

60 g de farine
2 œufs

1 cuil. à café de liqueur de coco
2 cuil. à soupe d'huile
180 ml de lait
60 g de noix de coco, râpée

1 **Figues macérées :** mettre tous les ingrédients dans une poêle. Laisser mijoter pendant 20 minutes, ou jusqu'à ce que les figues soient ramollies et le liquide réduit aux deux tiers.
2 **Crème au mascarpone :** mélanger le mascarpone, la cassonade et la crème.
3 Mettre dans un grand bol la farine tamisée ainsi qu'une pincée de sel. Faire un puits au centre et y incorporer les œufs, la liqueur et la noix de coco, l'huile et le lait. Remuer jusqu'à l'obtention d'un mélange mousseux.
4 Faire chauffer une petite poêle à crêpes et beurrer légèrement. Verser 60 ml de pâte dans la poêle, en la tournant pour en recouvrir le fond. Faire cuire pendant 1 minutes à feu modéré, puis retourner pour dorer l'autre côté. Disposer sur une assiette et garder au chaud pendant la cuisson du reste de la pâte.

5 Déposer quelques figues au centre de chaque crêpe. Remonter les bords pour enfermer les figues et les maintenir fermés en les nouant avec une ficelle. Saupoudrer de sucre glace et servir avec de la crème au mascarpone.

Secret du chef
Note : le mascarpone est un fromage italien, doux et crémeux, originaire de Lombardie.

Gâteau de crêpes
à la banane et au caramel

Préparation : 45 mn
+ 1 h
Cuisson : 20 mn
Pour 4 à 6 personnes

1 tasse 1/4 de farine
1 pincée de sel
3 œufs, battus
375 ml de lait
1 cuillère à soupe de brandy
20 g de beurre fondu, plus un
    morceau pour faire frire
5 bananes
1 tasse de noix de pécan hachées

Sauce au caramel
40 g de beurre
1/2 tasse de cassonade
125 ml de lait condensé
80 ml de sirop d'érable
250 ml de crème liquide, tiède

1 Tamiser ensemble la farine et le sel. Faire un puits au centre et ajouter l'œuf et le lait. Remuer à partir du centre en prenant un peu de farine sur les bords du puits à chaque coup de cuillère. Battre pour obtenir un mélange onctueux. Ajouter le brandy et le beurre, couvrir et laisser reposer 1 h.

2 Sauce au caramel : mettre le beurre, le sucre, le lait condensé et le sirop dans une casserole et remuer de façon continue à feu doux jusqu'à ce que le sucre soit dissous. Porter à ébullition. Lorsque la sauce a pris une couleur foncée, ajouter la crème tiède, en remuant pendant 2 mn.

3 Faire chauffer une poêle à fond épais de 20 cm de diamètre et la beurrer. Verser un peu de pâte pour la recouvrir et enlever l'excédent. Faire chauffer lentement et lorsque des bulles apparaissent à

la surface, retourner la crêpe à l'aide d'une spatule et faire cuire l'autre côté. La quantité de pâte permet de faire 10 à 12 crêpes. Garder au chaud en les enveloppant dans du papier aluminium jusqu'au moment de servir. Couper les bananes en tranches fines. Poser une crêpe sur un plat et la recouvrir de

tranches de bananes et de noix de pécan hachées. Arroser de sauce au caramel et poser une autre crêpe dessus. Continuer à entasser les crêpes en arrosant de sauce au caramel et en ajoutant les noix de pécan.

1

2

3

Crêpes à la liqueur et à l'orange

Préparation : 30 mn
+ 30 mn de repos
Cuisson : 30 à 40 mn
Pour 12 à 14 crêpes

125 g de farine
1 cuil. à soupe de sucre
125 ml de lait
125 ml d'eau
2 jaunes d'œufs
60 ml de rhum ou de
brandy
60 g de beurre, fondu

Beurre à l'orange
200 g de beurre ramolli
2 cuil. à soupe de zeste d'orange
finement râpé
90 g de sucre
2 cuil. à soupe de sucre
glace
125 ml de jus d'orange
60 ml de Grand Marnier

1 Mixer la farine, le sucre, le lait, l'eau, les jaunes d'œufs, le rhum ou le brandy et le beurre. Lorsque la pâte est bien lisse, la verser dans un pot, couvrir et laisser reposer pendant 30 minutes.
2 Beurre à l'orange : à l'aide d'un batteur électrique, mixer le beurre en crème. Ajouter le zeste d'orange, le sucre et le sucre glace et bien mélanger. En continuant de mixer, ajouter le mélange de jus d'orange et de Grand Marnier par 1/2 cuillerée à la fois.
3 Faire chauffer une petite poêle à crêpes et la beurrer légèrement. Verser un peu de pâte dans la poêle, en la tournant pour en recouvrir le fond d'une mince épaisseur. Faire cuire pendant 20 secondes, jusqu'à ce que

les bords commencent à se relever, et retourner la crêpe pour dorer légèrement l'autre côté. Repasser le tampon beurré dans le fond de la poêle si nécessaire.
4 Mettre le beurre à l'orange dans une grande poêle et le faire chauffer jusqu'à ce qu'il soit mousseux. À l'aide de pinces, saisir une crêpe à la fois, passer dans la poêle, des deux côtés, et la plier en quatre. Servir avec de la glace.

Secrets du chef
Note : pour les crêpes Suzette traditionnelles, plonger chaque crêpe dans le beurre à l'orange et les plier dans la poêle. Les entasser sur le bord de la poêle et lorsqu'elles y sont toutes, les arroser d'alcool et les faire flamber.

1 2 3

Crêpes à la sauce au caramel et à l'amaretti

Préparation : 40 mn
+ 30 mn de repos
Cuisson : 1 h
Pour 4 à 6 personnes

125 g de farine
2 œufs
250 ml de lait
1 cuil. à soupe 1/2 de beurre fondu
1 cuil. à soupe d'amaretto (facultatif)
125 g de biscuits amaretti
5 pommes vertes épluchées,
    trognos ôtés
180 g de beurre
180 g de cassonade
175 g de sirop de sucre de canne
125 ml de crème liquide
180 g de crème fraîche légère

1 Mixer la farine, les œufs et la moitié du lait pendant 10 secondes au robot. Ajouter le reste du lait, le beurre fondu et l'amaretto et mixer pour obtenir une pâte lisse. Verser dans un pot, couvrir et laisser 30 minutes. Faire chauffer une poêle antiadhésive et badigeonner de beurre fondu. Verser un peu de pâte dans la poêle, en la tournant pour recouvrir le fond et enlever l'excédent de pâte. Faire cuire pendant 30 secondes et retourner la crêpe pour dorer légèrement l'autre côté. Disposer sur une assiette et continuer avec le reste de pâte. Repasser le tampon beurré dans le fond de la poêle si nécessaire.

2 Préchauffer le four à température moyenne (180 °C). Hacher grossièrement les biscuits au mixeur. Placer sur une plaque à four et faire dorer 5 à 8 minutes, en secouant de temps à autre. Couper les pommes en anneaux très fins puis mélanger avec 60 g de beurre fondu et la moitié de la cassonade. Étaler régulièrement les pommes sur une plaque, déposer sous le gril du four et faire dorer pendant 5 minutes. Retourner et faire griller encore quelques minutes, jusqu'à ce que les pommes soient légèrement dorées. Réserver.

3 Mettre une crêpe dans un grand plat allant au four. Répartir quelques tranches de pommes en formant un petit tas au centre et saupoudrer de biscuits amaretti. Poser une crêpe dessus et garnir à nouveau, jusqu'à ce que toutes les crêpes constituent une pile. Couvrir de papier d'aluminium et mettre au four pendant 10 minutes pour réchauffer.

4 Mettre le reste de cassonade, le sirop, la crème et le reste du beurre dans une petite casserole. Remuer à feu doux jusqu'à ce que le sucre soit dissous. Faire mijoter pendant 1 minute. Recouvrir la pile de crêpes de crème fraîche. Arroser d'un peu de sauce et couper en quartiers pour servir.

1

2

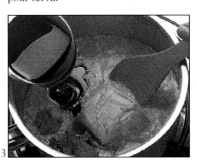
3

Desserts express aux fruits

Brioche aux pêches chaudes

Couper 4 tranches de brioche de la veille et en griller un côté. Enduire l'autre côté de beurre fondu, couvrir de lamelles de pêches et saupoudrer de sucre glace. Remettre 3 à 4 mn sous le gril. Saupoudrer à nouveau de sucre glace. Servir avec de la glace à la vanille. *Pour 4 personnes*

Dattes chaudes à l'orange

Fendre 16 dattes fraîches et les dénoyauter. Faire fondre 50 g de beurre dans une poêle, ajouter les dattes et 60 ml de jus d'orange. Faire cuire 3 mn à feu moyen en remuant. Verser 60 ml de Grand Marnier et réchauffer. Servir avec de la ricotta fraîche. *Pour 4 personnes*

Pommes caramélisées

Peler, épépiner et couper en grosses tranches 4 grosses pommes à cuire. Faire fondre 50 g de beurre dans une poêle et incorporer 1/4 de tasse de cassonade et 1 cuil. à café de gingembre moulu. Ajouter les pommes et remuer pour bien enrober de beurre. Couvrir et faire cuire 10 mn à feu moyen, en remuant de temps en temps. Ôter les pommes à l'écumoire et tenir au chaud. Verser 60 ml de crème liquide dans la poêle et mélanger. Porter à ébullition et faire réduire 2 à 3 mn. Arroser les pommes avec la sauce et servir. *Pour 4 personnes*

Sabayon aux fruits de la Passion et aux agrumes

Fouetter légèrement 375 ml de crème liquide, ajouter 1/4 de tasse de sucre glace tamisé et fouetter énergiquement. Incorporer 160 ml de pulpe de fruits de la Passion et 2 cuil. à café de zeste d'orange ou de citron finement râpé. Réfrigérer. Remplir 4 coupelles du mélange et garnir de fines lanières de zeste. Servir avec des gaufrettes. *Pour 4 personnes*

Génoise aux fraises et glace à la vanille

Mettre 300 g de fraises fraîches ou décongelées dans une casserole. Ajouter 2 à 3 cuil. à soupe de sucre en poudre. Faire dissoudre le sucre à feu moyen. Poser une part de génoise achetée toute prête sur chaque assiette, napper du mélange aux fraises et garnir d'une boule de glace à la vanille.

Pour 4 personnes

Coupe italienne

Couper 8 abricots en deux, dénoyauter et ôter la pulpe. Hacher 12 biscuits amaretti. Mélanger 250 ml de mascarpone et 250 ml de crème fouettée. Placer les abricots, les biscuits et le mélange à la crème en couches dans 4 coupelles en arrosant chaque couche de Marsala. Réfrigérer 15 à 30 mn pour ramollir les biscuits et permettre aux saveurs de se développer.

Pour 4 personnes

Bananes cuites au chocolat

Fendre dans la longueur 4 grosses bananes non pelées. Poser chacune sur de l'aluminium ménager. Hacher 100 g de Toblerone, et garnir chaque banane. Fermer les papillotes et faire cuire 10 à 15 mn au barbecue ou à four modéré. Ouvrir la papillote et rabattre en forme de coupe sous la banane. Écarter légèrement la peau. Napper de crème liquide ou de glace et déguster tel quel.

Pour 4 personnes

Crème brûlée à la nectarine

Couper 8 nectarines. Répartir les lamelles entre 4 coupes. Napper de crème fraîche très froide. Dans une petite casserole, mélanger 1/2 tasse de sucre avec 60 ml d'eau. Remuer à feu doux jusqu'à dissolution du sucre. Porter à ébullition et laisser frémir jusqu'à ce que le mélange soit brun doré, soit environ 10 mn. Ôter du feu, attendre la fin du bouillonnement et arroser avec la crème. Laisser refroidir 1 mn avant de servir.

Pour 4 personnes

Dans le sens des aiguilles d'une montre, à partir du haut à gauche : dattes chaudes à l'orange, génoise aux fraises et glace à la vanille, bananes cuites au chocolat, crème brûlée à la nectarine, coupe italienne, sabayon aux fruits de la Passion et aux agrumes, pommes caramélisées, brioche aux pêches chaudes.

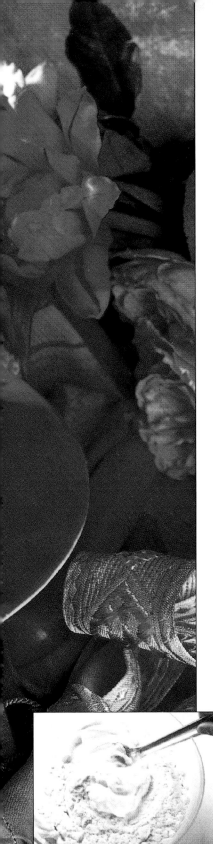

Gâteaux

Génoise aux fruits de la Passion

Préparation : 45 mn
Cuisson : 25 mn
Pour un gâteau de 23 cm de diamètre

6 œufs, blancs et jaunes séparés
3/4 de tasse de sucre
1/2 cuil. à café d'extrait de vanille
1/2 tasse de Maïzena
1 cuil. à café 1/2 de levure chimique
1/4 de tasse de farine

Garniture

1 cuil. à soupe de jus de citron
1 cuil. à soupe de gélatine
60 ml d'eau
Pulpe de 10 fruits de la Passion
500 g de fromage frais crémeux
1 tasse 1/2 de sucre glace, tamisé
180 ml de crème fleurette, légèrement fouettée
125 ml supplémentaires de crème fleurette, fermement fouettée
Pulpe de 2 fruits de la Passion supplémentaires
1/4 de tasse d'amandes ou de pistaches grillées, pilées

● Préchauffer le four à 180 °C. Badigeonner d'huile deux moules à gâteaux.
1 Mettre les blancs d'œufs dans un bol. Battre jusqu'à ce qu'ils soient bien fermes. Ajouter le sucre et battre jusqu'à ce qu'il soit entièrement dissous et que le mélange soit épais et brillant. Incorporer les jaunes et l'extrait de vanille. Tamiser les ingrédients secs par-dessus, puis mélanger au racloir jusqu'à l'obtention d'une pâte onctueuse. Verser le mélange dans les moules. Enfourner 20 mn, jusqu'à ce que les gâteaux se détachent des bords des moules. Laisser reposer 5 mn avant de retourner sur des grilles pour laisser refroidir.
2 Garniture : mélanger le jus de citron, la gélatine et l'eau dans un bol. Faire chauffer la moitié de la pulpe de fruits dans une casserole jusqu'à ce qu'elle ait bouilli. Ajouter le mélange. Remuer à feu moyen pour la dissoudre. Passer le mélange dans une passoire puis ajouter le reste de pulpe. Laisser refroidir. Battre le fromage frais crémeux et le sucre pour obtenir un mélange onctueux. Ajouter la pulpe de fruits. Incorporer la crème légèrement fouettée.
3 Assemblage de la génoise : couper chaque gâteau en deux à l'horizontale. Poser une moitié sur un plat et étaler 1/5 de garniture par-dessus. Continuer à étager en laissant suffisamment de garniture pour décorer le sommet et le pourtour de la génoise. À l'aide d'une douille, parsemer le dessus du gâteau de rosettes de crème fouettée supplémentaire. Étaler la pulpe de fruit supplémentaire et saupoudrer de noisettes. Mettre au réfrigérateur pendant plusieurs heures.

Secrets du chef

Conservation : ce dessert peut être assemblé jusqu'à 3 jours à l'avance. Ajouter les rosettes et la pulpe juste avant de servir.

2

3

Gâteau Sacher

Préparation : 40 mn
Cuisson : 50 mn
Pour un gâteau de 20 cm de diamètre

1 tasse de farine
1/4 de tasse de cacao en poudre
1 tasse de sucre en poudre
100 g de beurre
2 cuil. à soupe de confiture d'abricots
4 œufs
2 cuil. à soupe de confiture d'abricots fondue

Ganache
150 g de chocolat noir haché
60 ml de crème liquide

● Préchauffer le four à 180 °C. Beurrer ou huiler un moule à cake de 20 cm et le tapisser de papier sulfurisé. Huiler la surface du papier.
1 Tamiser le farine et le cacao dans un bol. Faire un puits au centre. Mélanger le sucre, le beurre et la confiture dans une petite casserole. Remuer à feu doux pour faire fondre le beurre et faire dissoudre le sucre. Enlever du feu. Verser dans le puits. Fouetter pour bien mélanger et ajouter les jaunes d'œufs. Bien mélanger.
2 Mettre les blancs d'œufs dans un petit bol sec et propre. Battre en neige avec un batteur électrique jusqu'à ce que des becs se forment au bout des fouets. Avec une cuillère en métal, incorporer les blancs en neige à la pâte. Verser la pâte dans le moule préparé et lisser la surface. Faire cuire 50 mn. Insérer la pointe d'une brochette au centre du gâteau. Si elle est sèche en la retirant, le gâteau est cuit. Laisser le gâteau dans le moule 15 mn avant de le démouler sur une grille pour le faire refroidir.
3 Ganache : mettre le chocolat et la crème dans une petite casserole. Remuer à feu doux pour faire fondre le chocolat. Lorsque le mélange est onctueux, enlever du feu et laisser refroidir. Trancher le dôme pour aplanir le gâteau. Retourner le gâteau sur un plat. Répartir la confiture sur sa surface. Mettre sur une grille placée au-dessus d'une plaque.
4 Recouvrir complètement le gâteau de ganache. Lisser le dessus et les côtés du gâteau avec un couteau à palette. Mettre le reste de ganache dans une poche et inscrire les mots *Gâteau Sacher* en travers du gâteau. Laisser prendre. Poser le gâteau sur un plat.

Secrets du chef
Conservation : 1 semaine dans un récipient hermétiquement fermé ou jusqu'à 3 mois au congélateur.

Gâteau au chocolat blanc et au yaourt

Préparation : 30 mn
Cuisson : 40 mn
Pour un gâteau de 20 cm de diamètre

125 g de beurre
1/2 tasse de sucre en poudre
2 œufs légèrement battus
1 cuil. à café d'essence de vanille
100 g de chocolat blanc haché
125 ml de yaourt nature ou à la vanille
1 tasse 1/2 de farine avec levure incorporée

Nappage au chocolat blanc
125 g de fromage frais crémeux
60 g de chocolat blanc fondu

2 cuil. à soupe de yaourt nature

● Préchauffer le four à 180 °C. Beurrer ou huiler un moule de 20 cm de diamètre et le tapisser de papier sulfurisé. Huiler le papier.
1 Battre en crème le beurre et le sucre avec un batteur électrique. Ajouter les œufs et l'essence de vanille et battre.
2 Mettre le chocolat dans un bol en verre sur une casserole d'eau frémissante. Remuer pour le faire fondre et enlever du feu. Verser le mélange dans un large bol et ajouter le chocolat fondu et le yaourt. Avec une cuillère en métal, incorporer la farine tamisée. Remuer pour bien mélanger et pour que le mélange soit onctueux.
3 Verser le mélange dans le moule préparé et lisser la surface. Faire cuire 40 mn au four. Insérer la pointe d'une brochette au centre du gâteau. Si elle est

sèche en la retirant, le gâteau est cuit. Laisser le gâteau dans le moule 15 mn avant de le démouler sur une grille pour le laisser refroidir.
Nappage au chocolat blanc : battre le fromage en crème avec un batteur électrique. Ajouter le chocolat et le yaourt en battant 5 mn jusqu'à ce que le mélange soit onctueux. Recouvrir le gâteau avec le glaçage à l'aide d'un couteau à palette. Décorer avec des copeaux de chocolat blanc.

Secrets du chef
Conservation : 3 jours dans un récipient fermé hermétiquement ou jusqu'à 1 mois dans le congélateur.
Variante : pour faire un gâteau plus lourd et plus moelleux, utiliser 170 ml de yaourt. Remplacer le yaourt nature par du yaourt aromatisé. Pour le nappage, remplacer par du yaourt à la vanille.

1

2

3

Gâteau au chocolat en spirale

Préparation : 1 h 30
Cuisson : 25 à 30 mn
Pour 6 à 8 personnes

Fond en pâte brisée

1 tasse de farine
1/3 de tasse de sucre glace
75 g de beurre, en morceaux
1 jaune d'œuf
1/2 cuil. à café de jus de citron
2 cuil. à soupe de confiture d'abricots

Génoise

6 œufs
2/3 de tasse de sucre en poudre
1 tasse 1/2 de farine avec levure incorporée
2 cuil. à soupe de cacao en poudre

Crème au beurre

80 ml de crème liquide
150 g de chocolat blanc
200 g de beurre
3/4 de tasse de sucre glace
2 cuil. à soupe de liqueur de café
1 cuil. à soupe de café instantané

3/4 de tasse de confiture d'abricots
Amandes effilées, grillées, pour la décoration

1 Préchauffer le four à 180 °C. Beurrer une plaque et deux moules à génoise de 30 x 25 cm. Tapisser le fond et les côtés avec du papier sulfurisé. Pour préparer la pâte brisée, passer la farine et le sucre glace dans un mixeur et ajouter le beurre, le jaune d'œuf, le citron et 1 cuil. à soupe d'eau glacée. Verser cette pâte sur une surface légèrement farinée et travailler avec les doigts. La rouler sur une feuille de papier sulfurisé et poser une assiette retournée dessus. Découper en suivant le bord. On obtient un cercle d'environ 18 cm de diamètre. Réfrigérer pendant 15 mn. Mettre la pâte sur la plaque et la piquer avec une fourchette. Faire cuire au four pendant 8 à 10 mn, jusqu'à ce qu'elle soit dorée. Laisser refroidir et la recouvrir de 2 cuillerées à soupe de confiture d'abricots.

2 Génoise : battre les œufs dans un grand bol avec un batteur électrique, jusqu'à l'obtention d'un mélange épais et clair. Ajouter le sucre graduellement, en battant pour obtenir un mélange jaune clair et brillant. Avec un cuillère en métal, incorporer la farine et le cacao. Étaler dans les moules et lisser la surface. Faire cuire 10 à 12 mn, jusqu'à ce que la pâte soit légèrement dorée et souple au toucher. Démouler sur deux torchons propres et secs, recouvrir avec du papier sulfurisé saupoudré de sucre en poudre. Enlever le papier sulfurisé collé au gâteau. En se servant du torchon, rouler le gâteau à partir du côté le plus court, avec le papier sulfurisé propre. Laisser de côté 5 mn, pour le refroidir.

3 Crème au beurre : faire chauffer la crème dans une petite casserole et porter à ébullition. Sortir du feu et ajouter le chocolat en morceaux. Laisser pendant 1 ou 2 mn, puis remuer jusqu'à ce que mélange soit onctueux et laisser refroidir. Battre en crème le beurre avec un batteur électrique. Ajouter le sucre glace tamisé et continuer à battre pour bien mélanger. Ajouter la liqueur mélangée au café instantané et bien mélanger. Ajouter le chocolat fondu en battant pour obtenir un mélange épais et crémeux.

4 Pour assembler, couper chaque roulé en trois tranches de 7 cm de long et enlever le papier sulfurisé. Dérouler une tranche et étaler un peu de confiture et de crème au beurre. Égaliser les bouts. Enrouler à nouveau et placer au centre de la base en pâte brisée.

5 Tartiner les autres tranches de gâteau avec la confiture et la crème au beurre. Enrouler en continuant la spirale jusqu'à ce que la base soit complètement recouverte. Recouvrir et réfrigérer. Envelopper dans un film alimentaire pendant 1 h. Servir sur un plat, napper avec le reste de crème au beurre et décorer avec les amandes effilées, grillées. Saupoudrer de cacao en poudre pour finir.

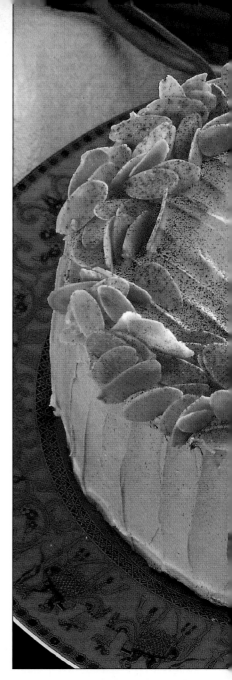

Mixer le mélange pour former une pâte.

Battre le mélange de pâte à génoise jusqu'à ce qu'il prenne une couleur jaune pâle et brillante.

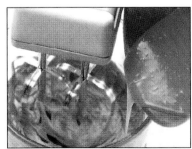

Ajouter le chocolat peu à peu en battant
pour obtenir un mélange léger et crémeux.

Dérouler une tranche de génoise et tartiner
de confiture et de crème au beurre.

Enrouler en continuant la spirale jusqu'à
ce que la base soit complètement recouverte.

Gâteau aux abricots et aux amandes

Préparation : 40 mn
Cuisson : 40 mn
Pour un gâteau de 25 cm de long

3/4 de tasse de farine avec levure
    incorporée
1/4 de tasse de farine
50 g d'amandes moulues
185 g de beurre
1 tasse de sucre en poudre
125 ml de nectar d'abricots
3 œufs, légèrement battus
1 boîte de 425 g de moitiés d'abricots,
    égouttés et coupés en tranches, jus
    réservé

625 ml de crème liquide, fouettée
40 g d'amandes effilées grillées

● Préchauffer le four à 180 °C. Beurrer ou huiler un moule à cake de 25 x 16 x 6 cm et le tapisser de papier sulfurisé. Huiler la surface du papier.
1 Tamiser les farines dans un grand bol. Ajouter les amandes en poudre et faire un puits au milieu. Mélanger le beurre, le sucre et le nectar d'abricots. Remuer à feu doux pour faire fondre le beurre et faire dissoudre le sucre. Enlever du feu.
2 Ajouter ce mélange aux ingrédients secs. Remuer avec un fouet pour bien mélanger. Ajouter les œufs et bien mélanger. Verser la pâte dans le moule préparé et lisser la surface. Faire cuire 40 mn au four. Insérer la pointe d'une brochette au centre du gâteau. Si elle est sèche en la retirant, le

gâteau est cuit. Laisser le gâteau 20 mn dans le moule avant de le démouler sur une grille pour le laisser refroidir.
3 Couper le gâteau en 3 épaisseurs. Arroser chacune d'elle avec le jus d'abricots. Répartir la crème sur la première épaisseur, poser la deuxième dessus, et continuer de même avec la troisième. Lorsque le gâteau est assemblé, recouvrir le dessus et les côtés de crème à l'aide d'un couteau à palette. Décorer d'amandes entières. Ajouter des tranches d'abricots sur le dessus et faire des rosettes de crème fouettée.

Secrets du chef
Conservation : 2 jours dans le réfrigérateur sans les amandes grillées.
Conseil : il faut conserver les noix dans un récipient hermétiquement fermé, dans un endroit frais.

Gâteau choco-rhum et raisins secs

Préparation : 40 mn
Cuisson : 1 h
Pour un gâteau de 20 cm de diamètre

1/2 tasse de raisins secs, grossièrement hachés
2 cuil. à soupe de rhum
180 g de beurre
3/4 de tasse de sucre en poudre
2 œufs, légèrement battus
2 tasses de farine avec levure incorporée
1/3 de tasse de cacao en poudre
180 ml de lait

Glaçage choco-rhum
125 g de beurre
2/3 de tasse de sucre glace
2 à 3 cuil. à soupe de rhum
1/4 de tasse de chocolat noir râpé

● Faire tremper les raisins secs dans le rhum toute une nuit. Préchauffer le four à 180 °C. Beurrer ou huiler un moule en métal de 20 cm de diamètre et tapisser de papier sulfurisé, le fond et les côtés. Huiler la surface du papier.

1 Battre en crème le beurre et le sucre avec un batteur électrique. Ajouter les œufs en continuant à battre. Verser le mélange dans un bol, ajouter le rhum et les raisins secs.

2 Incorporer la farine tamisée et le cacao en alternant avec le lait. Remuer pour obtenir une pâte presque lisse.

3 Verser la pâte dans le moule préparé et lisser la surface. Faire cuire 1 h au four. Insérer la pointe d'une brochette au centre du gâteau. Si elle est sèche en la retirant, le gâteau est cuit. Laisser le gâteau dans le moule pendant 15 mn et démouler sur une grille pour le faire refroidir.

Glaçage choco-rhum : battre en crème le beurre et le sucre glace tamisé au batteur électrique.

4 Napper le dessus et les côtés du gâteau avec les 2/3 du glaçage. Lisser avec un couteau à palette. Verser le reste du glaçage dans un cornet de papier sulfurisé et décorer le pourtour du gâteau. Ajouter des décorations en chocolat.

Secrets du chef
Conservation : 3 jours dans un récipient fermé hermétiquement ou jusqu'à 2 mois dans le congélateur.

1

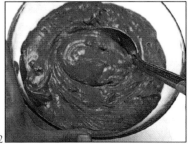
2

3

4

Gâteau à l'orange

Préparation : 1 h
Cuisson : 1 h 10
Pour 6 personnes

125 g de beurre
1/2 tasse de sucre en poudre
1 cuil. à café de zeste d'orange râpé
2 œufs
60 g de chocolat blanc, fondu et refroidi
125 ml de jus d'orange
1 tasse 1/3 de farine avec levure
   incorporée
2 cuil. à soupe de marsala
300 ml de crème fraîche épaisse

Crème anglaise à l'orange
1/4 de tasse de crème anglaise en poudre
1/4 de tasse de sucre en poudre
250 ml de lait
250 ml de jus d'orange

Nougatine
1 tasse de noix de pécan ou
   d'amandes, grillées
1 tasse de sucre en poudre

Sauce à la crème au marsala
375 ml de crème fraîche épaisse
80 ml de marsala
2 cuil. à café de miel
3 cuil. à café de Maïzena

1 Préchauffer le four à 180 °C. Beurrer le fond d'un moule de 20 cm de diamètre. Battre le beurre, le sucre et le zeste d'orange en crème, pour obtenir une consistance légère. Ajouter les œufs un à un, en continuant à battre. Ajouter le chocolat.

2 Mélanger le jus d'orange avec 2 cuillerées à soupe d'eau. Utiliser une cuillère en métal pour incorporer la farine en alternant avec le jus. Verser dans le moule, lis-ser la surface et faire cuire de 35 à 40 mn au four. Laisser refroidir sur une grille.

3 Crème anglaise à l'orange : mélanger la crème anglaise instantanée et le sucre dans une casserole. Ajouter graduellement le lait, en remuant jusqu'à obtenir un mélange onctueux. Ajouter le jus et remuer jusqu'à ce que le mélange bouille. Recouvrir d'un film alimentaire pour empêcher une peau de se former. Laisser refroidir à température ambiante.

4 Couper le gâteau en 4 tranches horizontales. Badigeonner une tranche d'un peu de marsala, tartiner d'1/3 de crème à l'orange, recouvrir de la deuxième tranche de gâteau. Continuer de la même façon, avec le marsala et la crème à l'orange. Fouetter la crème pour qu'elle forme des becs au bout du batteur et napper le gâteau. Réfrigérer.

5 Nougatine : tapisser une plaque de papier sulfurisé et mettre une seule couche de noix de pécan ou d'amandes. Mettre le sucre dans une casserole avec 60 ml d'eau. Remuer à feu doux jusqu'à ce que le sucre soit dissous. Porter à ébullition, puis continuer à feu doux sans remuer, pendant environ 8 mn. Verser immédiatement sur les noix et laisser refroidir. Casser la nougatine en morceaux, mixer ou l'écraser au rouleau à pâtisserie. En saupoudrer le gâteau.

6 Sauce à la crème au marsala : mettre la crème et le marsala dans une petite casserole et faire mijoter, sans couvercle, pendant 5 mn. Enlever du feu et ajouter le miel. Mélanger la Maïzena avec 1 cuil. à soupe d'eau. Remuer jusqu'à ce que la sauce bouille et épaississe. Laisser refroidir et servir tiède ou glacé avec des parts de gâteau.

Secrets du chef
Conseil : ce gâteau est bien meilleur lorsqu'il est préparé la veille et décoré juste au moment de servir.

Ajouter les œufs un à un, en continuant à battre.

Incorporer des cuillerées de farine, en alternant avec des cuillerées de jus d'orange.

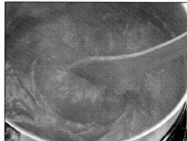

Remuer la crème anglaise à l'orange constamment jusqu'à ce qu'elle bouille.

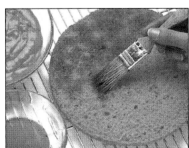

Badigeonner la première tranche de gâteau avec le marsala avant d'étaler la crème à l'orange.

Lorsque la nougatine a refroidi, la casser en morceaux ou la hacher au mixeur.

Mélanger la Maïzena dans un peu d'eau et ajouter à la sauce.

Couronne aux noix

Préparation : 35 mn
Cuisson : 35 mn
Pour un gâteau de 23 cm de diamètre

220 g de farine avec levure incorporée
1 cuil. à café de bicarbonate de soude
60 g de cacao en poudre
180 g de sucre en poudre
2 cuil. à soupe de cassonade
1 cuil. à café d'essence de vanille
2 œufs
250 ml de babeurre
125 ml de lait
60 g de beurre, fondu
2 cuil. à soupe de noix hachées

Sauce au chocolat
100 g de chocolat à croquer
80 ml de crème liquide

● Préchauffer le four à 180 °C. Beurrer un moule à savarin de 23 cm de diamètre.
1 Tamiser la farine, le bicarbonate de soude et le cacao en poudre dans un bol. Ajouter les sucres. Faire un puits au centre.
2 Ajouter l'essence de vanille, les œufs, le lait, le babeurre et le beurre aux ingrédients secs. Avec un batteur électrique, battre ce mélange pendant 3 minutes à vitesse 1, jusqu'à ce qu'il soit bien humide.
3 Battre le mélange à vitesse 3 pendant 5 minutes ou jusqu'à ce qu'il soit onctueux et qu'il ait augmenté de volume. Incorporer les noix. Verser dans le moule et égaliser la surface. Cuire 35 minutes au four ou jusqu'à ce qu'une brochette en bois, piquée au centre soit sèche en la retirant. Laisser le gâteau dans le moule 10 minutes, puis démouler sur une grille.
4 **Sauce au chocolat :** mélanger le chocolat et la crème dans une casserole. Remuer à feu doux jusqu'à ce que le chocolat soit fondu et que le mélange soit onctueux. Retirer du feu et laisser refroidir. Verser la sauce sur le gâteau. Décorer avec des copeaux de chocolat et saupoudrer de sucre glace. Ce gâteau peut être servi chaud avec de la crème fraîche ou de la glace.

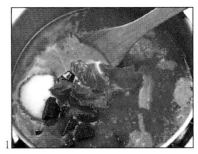

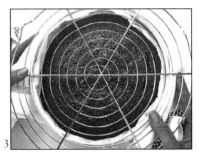

Gâteau au chocolat et au beurre d'arachide

Préparation : 40 mn
Cuisson : 1 h
Pour un gâteau de 20 cm de diamètre

 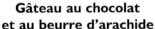

1 tasse 1/4 de farine avec levure incorporée
1/4 de tasse de cacao en poudre
200 g de beurre
100 g de chocolat noir haché gros
1/4 de tasse de beurre de cacahuètes
180 ml de crème liquide
180 g de sucre en poudre
2 œufs légèrement battus
Cacao en poudre, pour décorer
Cacahuètes enrobées de chocolat

Glaçage au chocolat noir
150 g de chocolat noir haché gros
90 g de beurre
125 ml de lait concentré

● Préchauffer le four à 180 °C. Beurrer ou huiler un moule de 20 cm de diamètre et tapisser de papier sulfurisé huilé.

1 Mélanger la farine et le cacao. Faire un puits au centre. Mélanger le beurre, la crème liquide et le sucre dans un bol moyen. Remuer à feu doux pour faire fondre le beurre et le chocolat. Lorsque le sucre est dissous, enlever du feu.

2 Ajouter ce mélange aux ingrédients secs. Ajouter les œufs, mélanger mais ne pas trop battre. Verser la pâte dans le moule préparé. Faire cuire 1 h au four. Insérer la pointe d'une brochette au centre du gâteau. Si elle est sèche en la retirant, le gâteau est cuit.

3 Laisser le gâteau dans le moule pendant 30 mn avant de le démouler sur une grille pour le laisser refroidir.

Glaçage au chocolat noir : mélanger le chocolat, le beurre et le lait concentré dans une petite casserole. Remuer à feu doux pour faire fondre le beurre et le chocolat. Lorsque le mélange est onctueux, enlever du feu. Laisser refroidir pour faire épaissir et pour que le glaçage soit facile à étaler.

4 Couper le gâteau en 2 épaisseurs. Napper la moitié du glaçage au chocolat sur le 1er disque. Disposer le 2e disque dessus. Napper le gâteau avec le reste du glaçage. Saupoudrer de cacao en poudre et décorer avec des cacahuètes enrobées de chocolat.

Secrets du chef
Conservation : 3 jours dans un récipient fermé hermétiquement ou jusqu'à 2 mois dans un congélateur.

Gâteau italien à la liqueur

Préparation : 1 h 30
Cuisson : 50 mn
Pour un gâteau de 20 cm de diamètre

1 tasse de farine avec levure
   incorporée
1 cuil. à soupe de Maïzena
2 cuil. à soupe de farine de riz
5 œufs légèrement battus
3/4 de tasse de sucre en poudre
1 cuil. à café d'essence de vanille

80 g de beurre fondu
160 ml de marsala
125 ml de marmelade d'oranges
500 g de fraises fraîches, équeutées
625 ml de crème liquide, fouettée

Crème anglaise
1/4 de tasse de crème anglaise en
   poudre
1/4 de tasse de sucre en poudre
125 ml de babeurre
250 ml de lait
1 cuil. à café d'essence de vanille
125 ml de crème liquide

● Préchauffer le four à 180 °C. Beurrer ou huiler un moule à cake de 20 cm de diamètre. Huiler le papier sulfurisé.
1 Tapisser le moule de papier sulfurisé. Saupoudrer légèrement de farine et enlever l'excédent. Tamiser trois fois les ingrédients secs sur un papier sulfurisé. Battre les œufs dans un grand bol, avec un batteur électrique pendant 6 mn.
2 Ajouter le sucre graduellement en battant constamment pour le dissoudre et pour obtenir un mélange clair et brillant. Avec une cuillère en métal, incorporer l'essence de vanille, les farine et le beurre, rapidement et délicatement. Répartir la

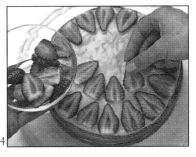

pâte dans un moule préparé. Faire cuire 50 mn au four jusqu'à ce que le gâteau soit légèrement doré et qu'il se détache des bords du moule. Laisser le gâteau refroidir dans le moule pendant 20 mn avant de le démouler sur une grille.

3 Crème anglaise: mélanger la crème anglaise, le sucre, le babeurre et le lait dans une casserole. Remuer à feu doux en portant à ébullition, jusqu'à ce que le mélange épaississe. Ajouter l'essence de vanille et la crème et enlever du feu. Laisser refroidir.

4 Couper le gâteau en trois épaisseurs. Arroser chaque disque de marsala et étaler la marmelade d'orange. Poser le pre-mier disque sur un plat. Répartir la moitié de la crème anglaise et la moitié des fraises coupées en tranches. Appliquer le deuxiè-me disque et étaler à nouveau le reste de crème anglaise et les fraises. Recouvrir avec le troisième disque. Napper le dessus et les bords avec les trois quarts de la crème fouettée, à l'aide d'un couteau à palette. Verser le reste de la crème dans une poche munie d'une douille, décorer de rosettes et ajouter des fraises entières.

Secrets du chef

Conservation: servir ce gâteau le lendemain de sa préparation car la liqueur lui donne alors toute sa saveur. Envelopper le gâteau sans la garniture dans un film alimentaire. Décorer le gâteau de crème fouettée et de fraises entières 1 h avant de servir.

Conseil: la crème anglaise doit être portée à ébullition et épaissie pour avoir une consistance crémeuse et brillante. Le babeurre a une saveur riche et un peu piquante qui ajoute un goût particulier aux gâteaux.

Gâteau moucheté

Préparation : 50 mn
Cuisson : 45 mn
Pour un gâteau de 23 cm de diamètre

125 g de beurre
125 g de sucre en poudre
1 cuil. à café d'essence de vanille
2 œufs
160 g de confiture de fraises
2 cuil. à soupe de farine avec levure
    incorporée
125 g de farine
1 cuil. à café de bicarbonate de
    soude
60 g de cacao en poudre
180 ml de babeurre
Cacao en poudre, pour saupoudrer

Glaçage au chocolat
150 g de chocolat blanc
125 g de beurre
80 ml de crème liquide

Bords
40 g de chocolat blanc, fondu
80 g de chocolat à croquer, fondu

● Préchauffer le four à 180 °C (au gaz
th. 4). Beurrer un moule à savarin de
23 cm de diamètre. Tapisser le fond et
les bords avec du papier sulfurisé.
1 Avec un batteur électrique, battre en
crème le beurre, le sucre et l'essence de
vanille dans un bol. Ajouter les œufs un
à un, en continuant à battre puis la
confiture pour obtenir un mélange
onctueux.
2 Verser le mélange dans un grand bol.
Avec une cuillère en métal, incorporer
les farines tamisées, le bicarbonate de
soude et le cacao en alternant avec le
babeurre. Remuer pour bien mélanger
et verser dans le moule. Faire cuire

45 minutes au four (jusqu'à ce que la
pointe du couteau piquée au centre, soit
sèche en la retirant). Laisser le gâteau
dans le moule 5 minutes avant de le
démouler sur une grille.
3 **Glaçage au chocolat :** mélanger le
chocolat blanc, le beurre et la crème
dans une petite casserole. Mélanger
à feu doux jusqu'à ce que le chocolat
et le beurre soient fondus et que
le mélange soit onctueux. Retirer
du feu et mettre dans un bol pour
laisser refroidir, en remuant de temps
en temps.
4 Poser le gâteau sur un plat. Napper
avec le glaçage au chocolat.
5 **Bords :** mesurer la hauteur du gâteau
avec une règle. (Il doit faire environ
6 cm de hauteur). Couper une bande de
papier sulfurisé de 75 x 6,5 cm. Disposer
des pastilles de chocolat blanc fondu sur
cette bande. Laisser prendre puis
recouvrir la bande de papier avec du
chocolat noir fondu. Appliquer cette
bande recouverte de chocolat autour du
gâteau. Cette manipulation doit être
rapide afin que le chocolat ne durcisse
et se brise.
6 Maintenir le papier contre le gâteau
pendant quelques instants jusqu'à ce
que le chocolat prenne, puis décoller
le papier soigneusement. Réfrigérer.
Au moment de servir saupoudrer
abondamment de cacao en poudre.

Secrets du chef
Conservation : ce gâteau peut se
préparer la veille et être placé au
réfrigérateur. Le servir à température
ambiante.
Variantes : le chocolat blanc peut
être mélangé à un colorant alimentaire
pour donner un autre effet.
On peut aussi parfumer le chocolat
blanc avec un zeste d'orange, de citron,
de citron vert finement râpé, ou bien
ajouter 1 cuil. à soupe de liqueur
incolore comme le Cointreau.

1

2

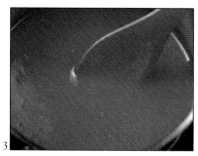

3

4

5

6

Gâteau au citron et aux graines de pavot

Préparation : 40 mn
Cuisson : 25 à 30 mn
Pour un gâteau de 20 cm de diamètre

1 tasse 3/4 de farine avec levure
  incorporée
2 cuil. à soupe de graines de pavot
185 g de beurre
2/3 de tasse de sucre en poudre
2 cuil. à soupe de confiture d'abricots
1 cuil. à café de zeste de citron râpé
60 ml de jus de citron
2 œufs légèrement battus

Sirop de citron
1/2 tasse de sucre en poudre
60 ml de jus de citron
125 ml d'eau

● Préchauffer le four à 180 °C. Beurrer ou huiler un moule à savarin de 20 cm de diamètre.

1 Tamiser la farine dans un bol et ajouter les graines de pavot. Faire un puits au centre. Mélanger le beurre, le sucre, la confiture, le zeste et le jus dans une casserole. Remuer à feu doux pour faire fondre le beurre et dissoudre le sucre.

2 Ajouter ce mélange aux ingrédients secs. Fouetter pour bien mélanger. Ajouter les œufs. Verser la pâte dans un moule et lisser la surface. Faire cuire 25 à 30 mn au four. Insérer la pointe d'une brochette au centre du gâteau. Si elle est sèche en la retirant, le gâteau est cuit.

3 Sirop de citron : mélanger le sucre, le jus et l'eau dans une casserole. Remuer constamment à feu doux et porter à ébullition pour faire fondre le sucre. Continuer à feu doux, sans remuer, sans couvercle, jusqu'à ce que le mélange épaississe et qu'il réduise de moitié. Enlever du feu et laisser 2 mn. Verser le sirop chaud sur le gâteau. Laisser jusqu'à ce que le sirop soit complètement absorbé. Démouler sur un plat. Servir tiède, avec de la crème liquide.

Secrets du chef

Conservation : servir ce gâteau le jour même de sa préparation. Il est encore meilleur chaud, pour apprécier pleinement la saveur du sirop.

1

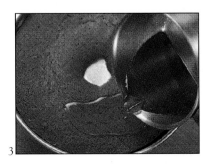

2

3

Moka au rhum

Préparation : 35 mn
Cuisson : 35 mn
Pour un gâteau de 20 cm de diamètre.

4 œufs
125 g de sucre en poudre
125 g de chocolat à croquer, finement
  haché
80 ml de café noir, fort
90 g de farine avec levure
  incorporée, tamisée
2 cuil. à soupe de rhum
1 cuil. à soupe d'eau chaude
1 cuil. à café de sucre
375 ml de crème chantilly
Chocolat à croquer, pour les copeaux
50 g de noix hachées
Sucre glace, pour saupoudrer

● Préchauffer le four à 180 °C (au gaz th. 4). Beurrer deux moules à manqué de 20 cm de diamètre. Tapisser les fonds et les bords avec du papier sulfurisé.

1 Faire chauffer un grand bol en le remplissant d'eau très chaude. Laisser une minute, puis vider l'eau et sécher le bol. Ajouter les œufs et le sucre. Avec un batteur électrique, battre en crème les œufs et le sucre pendant 5 minutes. Mettre le chocolat dans un petit bol et le faire fondre au bain-marie. Ajouter le café et retirer du feu.

2 Avec une cuillère en métal, incorporer la moitié de la farine au mélange d'œufs et de beurre, en alternant avec le chocolat fondu. Incorporer le reste de la farine et le chocolat. Remuer jusqu'à ce que la consistance soit onctueuse. Avec une cuillère verser le mélange dans les moules. Égaliser les surfaces. Faire cuire 30 minutes au four, jusqu'à ce que la lame du couteau insérée au milieu du gâteau soit sèche en la retirant. Laisser

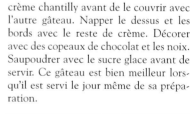

les gâteaux dans les moules pendant 10 minutes avant de les démouler sur une grille. Mélanger le rhum, l'eau chaude et le sucre dans un petit bol. Badigeonner les gâteaux avec ce mélange. Laisser refroidir complètement.

3 **Assemblage du gâteau :** poser un gâteau sur un plat et étaler un tiers de

crème chantilly avant de le couvrir avec l'autre gâteau. Napper le dessus et les bords avec le reste de crème. Décorer avec des copeaux de chocolat et les noix. Saupoudrer avec le sucre glace avant de servir. Ce gâteau est bien meilleur lorsqu'il est servi le jour même de sa préparation.

1

2

3

Gâteau forestier

Préparation : 1 h 30
Cuisson : 1 h 30
Pour un gâteau de 20 cm de diamètre

125 g de beurre
140 g de cassonade
90 g de sucre en poudre
2 œufs, légèrement battus
1 cuil. à café d'essence de vanille
60 g de farine
90 g de farine avec levure incorporée
1 cuil. à café de bicarbonate de soude
2 cuil. à soupe de cacao en poudre
60 ml d'eau chaude
250 ml de babeurre
Copeaux de chocolat, pour décorer

Crème au beurre

300 g de beurre
80 g de sucre glace, tamisé
2 à 3 gouttes d'essence de menthe
2 à 3 gouttes de colorant alimentaire vert
125 g de chocolat à croquer, fondu

Champignons en meringue

2 blancs d'œufs
90 g de sucre glace, tamisé
1 cuil. à café de jus de citron

● Préchauffer le four à 180 °C (au gaz th. 4). Beurrer un moule de 20 cm de diamètre. Tapisser le fond de papier sulfurisé.
1 Battre en crème le beurre et les sucres dans un grand bol. Ajouter les œufs un à un, en continuant à battre. Ajouter l'essence de menthe. Verser le mélange dans un grand bol.
2 Avec une cuillère en métal incorporer peu à peu les farines, le bicarbonate de soude et le cacao en poudre, en alternant avec l'eau et le lait. Remuer 1 minute jusqu'à ce que les ingrédients soient bien mélangés.
3 Verser des cuillères de pâte dans le moule. Égaliser la surface ; cuire 45 à 50 minutes au four, jusqu'à ce que la lame du couteau piquée au centre du gâteau soit sèche en la retirant. Laisser le gâteau dans son moule pendant 20 minutes avant de le démouler sur une grille. Laisser refroidir.
4 Crème au beurre : battre en crème le beurre et le sucre dans un petit bol, avec un batteur électrique. Verser la moitié du mélange dans un autre bol. Ajouter l'essence de menthe et bien mélanger. Conserver 1 cuillère à soupe de crème et la mélanger avec du colorant alimentaire. Ajouter le chocolat au reste de la crème. Battre pour bien mélanger.
5 Champignons en meringue : préchauffer le four à 150 °C (au gaz th. 2). Beurrer deux plaques et tapisser de papier sulfurisé. Battre en neige ferme les blancs d'œufs dans un bol. Ajouter le sucre peu à peu en continuant à battre pour obtenir un mélange épais et brillant. Ajouter le jus de citron. Continuer à battre jusqu'à ce que le sucre soit dissous. Verser le mélange dans une poche munie d'une douille lisse. Faire des petits ronds de 2 cm de diamètre avec les 3/4 du mélange. Continuer avec le quart restant, pour faire des tout petits ronds de 5 mm. Avec un doigt humide, lisser le dessus de ces petits tas. Cuire 20 à 30 minutes au four (jusqu'à ce que la meringue soit claire et croustillante). Éteindre le four, ouvrir la porte et laisser refroidir. Utiliser un peu de crème au beurre pour assembler les champignons.

Assemblage du gâteau : couper le dôme du gâteau pour l'aplanir. Retourner le gâteau à l'envers et le couper en trois couches horizontales. Poser la première couche sur un plat et recouvrir de la moitié de la crème à la menthe. Appliquer la deuxième couche et étaler le reste de la crème à la menthe. Terminer avec la troisième couche. Napper le dessus avec la crème au beurre parfumée au chocolat, à l'aide de la lame d'un couteau. Garnir avec les champignons de meringue et saupoudrer de cacao en poudre. Appliquer les copeaux en chocolat verticalement, tout autour du gâteau. Verser des cuillères de crème à la menthe verte sur un papier sulfurisé. Faire un cornet et couper la pointe en biais. Déposer des petites feuilles vertes autour des champignons, en pressant le cornet à la façon d'une poche à douille.

 1

 2

3

4

5

1   2   3

Gâteau carré à la mousse au chocolat blanc

Préparation : I h 30
+ 4 h de réfrigération
Cuisson : 15 mn
Pour un gâteau de 20 cm de côté

4 œufs
1/4 de tasse de sucre glace
1/2 tasse de farine avec levure
incorporée
1/3 de tasse de noix, moulues
200 g de chocolat noir haché
2 cuil. à soupe de cacao en poudre
1 cuil. à soupe de chocolat en poudre
Fraises fraîches, pour décorer

Mousse au chocolat
100 g de chocolat blanc haché
2 blancs d'œufs
2 cuil. à soupe de sucre glace
2 cuil. à café de gélatine
1 cuil. à soupe d'eau chaude
300 ml de crème liquide, fouettée
3/4 de tasse de chocolat au lait râpé

● Préchauffer le four à 180 °C. Beurrer ou huiler deux moules à manqué de 20 cm de côté et les tapisser de papier sulfurisé. Huiler la surface du papier. Saupoudrer de farine et enlever l'excédent.
1 Mettre les blancs d'œufs dans un petit bol propre et sec. Battre en neige avec un batteur électrique, jusqu'à ce que des becs se forment au bout des fouets. Ajouter le sucre glace graduellement, en battant constamment jusqu'à ce que le sucre soit dissous et que le mélange soit épais et brillant. Ajouter les jaunes d'œufs et continuer à battre pendant 20 s. Verser le mélange dans un grand bol.
2 À l'aide d'une cuillère en métal, incorporer rapidement et délicatement la farine tamisée et les noix. Verser la pâte dans les moules préparés. Faire cuire 15 mn au four, jusqu'à ce que les gâteaux soient légèrement dorés et qu'ils se détachent des bords des moules. Laisser dans les moules 5 mn avant de démouler sur une grille.
3 **Mousse au chocolat :** mettre le chocolat dans un bol en verre au-dessus d'une casserole d'eau frémissante et faire fondre en remuant. Mettre les blancs d'œufs dans un petit bol propre et sec. Battre avec un batteur électrique jusqu'à ce que des becs se forment au bout des fouets. Ajouter le sucre glace en battant constamment jusqu'à ce qu'il soit dissous. Délayer la gélatine dans un bol d'eau placé au-dessus d'une casserole d'eau chaude. Verser la gélatine en filet sur les blancs d'œufs en battant constamment. Verser le mélange dans un grand bol. À l'aide d'une cuillère en métal, incorporer le chocolat, la crème et le chocolat râpé.
4 Tapisser de papier sulfurisé un moule à manqué de 20 cm de côté. Mettre la génoise dans le moule et recouvrir de mousse au chocolat. Lisser la surface. Recouvrir de film alimentaire et réfrigérer pendant 4 h pour laisser prendre.
5 Faire fondre le chocolat noir comme indiqué dans l'étape 3. Tapisser de papier d'aluminium une plaque de 32 x 28 cm. Répartir le chocolat sur le papier pour recouvrir la plaque. Faire des ondulations à la surface du chocolat avec les dents d'une fourchette. Réfrigérer pour le laisser prendre légèrement. Faire 20 carrés de 6 cm de côtés avec un couteau pointu, bien aiguisé. Remettre la plaque au réfrigérateur jusqu'à ce que le chocolat soit bien pris.
6 Soulever le gâteau du moule en tirant sur le papier sulfurisé. Entourer le pourtour du gâteau de carrés de chocolat en les faisant chevaucher. Saupoudrer le dessus du gâteau de cacao et de chocolat en poudre, tamisés. Décorer de fraises fraîches ou de fruits de saison.

Secrets du chef
Conservation : 1 jour au réfrigérateur.

4

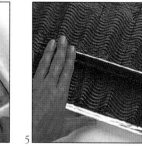
5

6

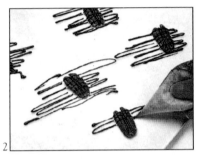

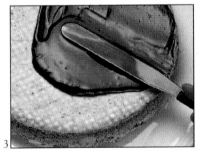

Meringue aux noix de pécan et aux framboises

Préparation : 1 h
Cuisson : 50 mn
Pour 6 à 8 personnes

4 blancs d'œufs
1 tasse 1/4 de sucre en poudre
1 cuil. à café de vinaigre
1/2 cuil. à café d'essence de vanille
70 g de noix de pécan, moulues
50 g de chocolat noir
12 noix de pécan entières, grillées
150 g de chocolat noir haché
375 ml de crème liquide, fouettée
350 g de framboises fraîches
Sucre glace, pour saupoudrer

1 Préchauffer le four à 180 °C. Tapisser deux moules à bord amovible de 20 cm de diamètre de papier sulfurisé. Mettre les blancs d'œufs dans un bol et battre en neige ferme. Ajouter le sucre en poudre, une cuillerée à la fois, en continuant à battre jusqu'à ce que le sucre soit dissous et ajouter le vinaigre et l'essence de vanille sans cesser de battre. Incorporer les noix de pécan moulues et bien mélanger. Étaler ce mélange dans les moules, de façon égale et faire cuire 40 à 45 mn. Laisser refroidir dans le four, la porte entrouverte. Démouler et laisser le papier sulfurisé.

2 Faire fondre le chocolat dans un bol au bain-marie. Disposer les noix de pécan sur une plaque tapissée de papier sulfurisé. Mettre le chocolat ramolli dans un cornet de papier sulfurisé et déposer des filaments de chocolat en zigzags sur les noix. Laisser prendre et enlever le papier.

3 Faire fondre le reste du chocolat. Retourner une des meringues sur une assiette et enlever le papier. Étaler la moitié du chocolat sur la meringue et recouvrir avec 125 ml de crème. Placer les 2/3 des framboises sur la crème.

4 Enlever le papier de la seconde meringue et napper avec le reste du chocolat. Pour constituer le gâteau, assembler les deux meringues, et décorer le dessus et le bord en étalant 125 ml de crème. Garnir avec des petits tas de crème fouettée, les noix de pécan décorées de filaments de chocolat et des framboises.

Secrets du chef

Conservation : la meringue peut se préparer longtemps avant d'être servie, mais on doit l'assembler au dernier moment.

Génoise aux agrumes

Préparation : 40 mn
Cuisson : 20 mn
Pour un gâteau de 20 cm de diamètre

1 tasse de farine avec levure
  incorporée
4 œufs légèrement battus
1/2 tasse de sucre en poudre
60 g de beurre fondu, refroidi
2 cuil. à café de zeste d'orange râpé
1 cuil. à café de zeste de citron râpé

Garniture à la crème de citron
6 cuil. à café de Maïzena
1/3 de tasse de sucre en poudre
180 ml de lait
160 ml de jus de citron
2 œufs légèrement battus

● Préchauffer le four à 180 °C. Beurrer ou huiler deux moules peu profonds de 20 cm de diamètre. Tapisser le fond de papier sulfurisé huilé. Saupoudrer les moules de farine et enlever l'excédent.

1 Tamiser la farine trois fois sur un papier sulfurisé. Mélanger les œufs et le sucre dans un bol moyen. Mettre le bol sur une casserole d'eau frémissante. Battre jusqu'à l'obtention d'un mélange épais et jaune clair. Enlever du feu et continuer à battre jusqu'à ce que le mélange refroidisse et augmente de volume.

2 Ajouter la farine, le beurre fondu, les zestes de citron et d'orange. À l'aide d'une cuillère en métal, remuer rapidement et légèrement les ingrédients pour bien mélanger. Verser la pâte dans les moules préparés et lisser la surface. Faire cuire 20 mn au four, jusqu'à ce que les

gâteaux soient légèrement dorés et se détachent du bord des moules. Laisser dans les moules 5 mn avant de démouler sur une grille.

3 **Crème de citron :** mettre la Maïzena, le sucre, le lait, le jus de citron et les œufs dans une petite casserole et bien mélanger. Remuer à feu doux en portant à ébullition, jusqu'à ce que le mélange épaississe et continuer la cuisson pendant 1 mn de plus. Enlever du feu. Verser dans un petit bol et couvrir avec un film alimentaire. Laisser refroidir.

4 Couper chaque gâteau en deux épaisseurs. Poser un disque sur un plat. Napper de crème de citron et lisser. Recouvrir du second disque et napper à nouveau. Continuer jusqu'au dernier disque et le saupoudrer de sucre glace tamisé.

Secrets du chef
Conservation : le gâteau sans garniture se conserve au congélateur pendant 1 mois. Envelopper les disques séparément dans des sacs à congélation, fermer hermétiquement et inscrire la date. Décongeler les gâteaux à température ambiante. Garnir juste avant de servir.

Variante : on peut remplacer la crème de citron par une crème à l'orange, en suivant les mêmes directives.

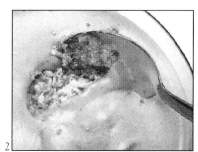

Moka

Préparation : 40 mn
Cuisson : 20 mn
Pour un gâteau de 20 cm de diamètre

3/4 de tasse de farine avec levure
   incorporée
2 cuil. à soupe de cacao en poudre
4 œufs légèrement battus
3/4 de tasse de sucre en poudre

Crème au chocolat
125 g de beurre
1 tasse 1/4 de sucre glace
2 cuil. à soupe de cacao en poudre
2 cuil. à soupe de lait

Glaçage
1 tasse 1/4 de sucre glace
1 cuil. à café de café instantané
1 cuil. à café de beurre fondu
1 à 2 cuil. à soupe d'eau
10 moitié de cerneaux, pour la
   décoration

● Préchauffer le four à 180 °C. Beurrer ou huiler deux moules à génoise de 20 cm de diamètre et tapisser de papier sulfurisé. Huiler la surface du papier. Saupoudrer de farine et enlever l'excédent.

1 Tamiser la farine et le cacao trois fois sur du papier sulfurisé. Battre les œufs au batteur électrique dans un petit bol pendant 5 mn. Ajouter le sucre graduellement, en continuant à battre pour obtenir un mélange brillant et jaune clair. Verser dans un grand bol.

2 Avec une cuillère en métal, incorporer délicatement et rapidement les ingrédients tamisés. Verser la pâte dans les moules préparés. Faire cuire 20 mn au four, jusqu'à ce que les gâteaux soient dorés et qu'ils se détachent des parois des moules. Laisser 5 mn avant de démouler sur une grille pour laisser refroidir.

3 **Crème au chocolat :** battre le beurre en crème avec le batteur électrique, pour obtenir une consistance légère. Ajouter le sucre glace, le cacao tamisé en battant de 8 à 10 mn pour obtenir un mélange lisse et onctueux. Ajouter le lait et continuer à battre 3 mn.

4 Napper un des gâteaux de crème au chocolat. Verser le reste de crème dans une poche ou un cornet de papier sulfurisé. Couper la pointe du cornet et déposer des rosettes de crème sur le pourtour du gâteau. Recouvrir avec l'autre gâteau.

5 **Glaçage :** mélanger le sucre glace tamisé et le café instantané avec le beurre et assez d'eau pour former une pâte ferme. Poser le bol sur une casserole d'eau frémissante, en remuant jusqu'à ce que le glaçage soit lisse et brillant. Enlever du feu.

6 Napper le gâteau de glaçage avec un couteau à palette. Décorer avec des cerneaux. Laisser le glaçage prendre avant de servir.

Secrets du chef

Conservation : le gâteau sans garniture se conserve au congélateur jusqu'à 1 mois. Mettre les deux gâteaux séparément dans un sac à congélation, étiqueter et dater. Décongeler les gâteaux à température ambiante. Garnir et servir immédiatement.

Conseil : si le glaçage est trop battu, il risque de devenir granuleux et terne. Napper rapidement le gâteau en trempant le couteau dans de l'eau chaude de temps en temps pour donner au glaçage une surface brillante. Ne pas réchauffer le glaçage lorsqu'il a pris.

Certaines farines sont tamisées avant d'être empaquetées. Cependant, il est préférable de les tamiser à nouveau avant l'usage pour les rendre plus légères et aérées, car lorsque la farine est lourde le gâteau a du mal à lever. L'air contenu dans la pâte s'échappe à la chaleur et lui permet de lever. Toutefois, la levure est l'agent essentiel qui fait lever la pâte.

1

2

3

4

5

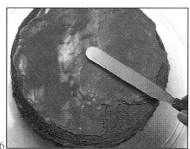
6

Gâteau au rhum et aux raisins secs

Préparation : 20 mn
+ 1 h de repos
Cuisson : 1 h 15
Pour un gâteau de 20 cm de diamètre

60 ml d'eau chaude
2 cuil. à soupe de rhum
40 g de raisins secs, finement hachés
160 g de farine avec levure
    incorporée
2 cuil. à soupe de farine
2 cuil. à soupe de cacao en
    poudre
180 g de sucre en poudre
55 g de cassonade
200 g de beurre
1 cuil. à soupe de sirop d'érable
100 g de chocolat à croquer, haché
2 œufs, légèrement battus
Cacao en poudre, pour saupoudrer
Sucre glace, pour saupoudrer

● Préchauffer le four à 160 °C (au gaz th. 2 à 3). Beurrer un moule de 20 cm de diamètre.

1 Tapisser le fond et les bords du moule avec du papier sulfurisé. Mélanger l'eau, le rhum et les raisins secs dans un petit bol. Laisser reposer. Tamiser les farines et le cacao en poudre dans un grand bol et faire un puits au centre.

2 Mélanger les sucres, le beurre, le sirop et le chocolat dans une casserole moyenne. Remuer à feu doux pour faire fondre. Retirer du feu. Ajouter les raisins secs, l'eau et le rhum.

3 Verser ce mélange dans les ingrédients secs et mélanger avec une cuillère en métal. Ajouter les œufs et remuer pour obtenir un mélange crémeux. Verser dans le moule. Égaliser la surface. Faire cuire entre 1 heure et 1 heure et demie

au four, jusqu'à ce que la lame du couteau piquée au centre soit sèche en la retirant. Laisser le gâteau dans le moule pendant 1 heure avant de le démouler

sur une grille. Saupoudrer avec la poudre de cacao et le sucre glace tamisés. Servir chaud avec de la crème fraîche le jour de sa préparation.

1

2

3

Gâteau au chocolat et à la fraise

Préparation : 20 mn
Cuisson : 1 h à 1 h 15
Pour 12 personnes

125 g de beurre, coupé en morceaux
1 tasse 1/4 de sucre en poudre
3 œufs
1 tasse de farine
1 tasse de farine avec levure incorporée
2/3 de tasse de cacao en poudre
125 ml d'eau
125 ml de crème fraîche épaisse
125 ml de lait

Garniture
125 ml de confiture de fraises
310 ml de crème liquide, fouettée
250 g de fraises, coupées en quatre

Glaçage
250 g de beurre
250 g de chocolat noir, en morceaux

● Préchauffer le four à 160 °C. Graisser et garnir de papier sulfurisé un moule à cake.
1 Mélanger tous les ingrédients dans un bol. Battre à faible vitesse pour obtenir un mélange homogène, puis à vitesse moyenne/forte pendant 3 mn pour éliminer les grumeaux et obtenir une couleur plus claire. Verser dans le moule préparé et enfourner pendant 1 h à 1 h 15. Laisser reposer le gâteau dans le moule pendant 5 mn avant de le retourner sur une grille pour le faire refroidir.
2 **Garniture :** couper le gâteau en 3 couches horizontales. Poser le fond sur le plat de service, puis couvrir de la moitié de la confiture. Étaler ensuite la moitié de la crème et la moitié des fraises. Poser une autre couche de gâteau et répéter l'opération avec le reste de confiture, de crème et de fraises. Termi-

ner par la dernière couche de gâteau.
3 **Glaçage :** faire fondre le beurre dans une casserole, ajouter le chocolat ; retirer du feu et laisser reposer pendant 5 mn. Remuer jusqu'à l'obtention d'une pâte onctueuse. Laisser refroidir le glaçage jusqu'à ce qu'il présente une consistance convenable pour l'étaler. Étaler sur

le sommet et le pourtour du gâteau, saupoudrer de sucre glace et décorer d'une fraise.

Secrets du chef
Conservation : ce gâteau est meilleur dégusté le jour même ; assembler plusieurs heures à l'avance.

1

2

3

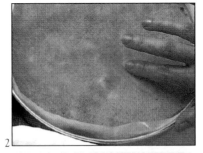

Gâteau aux agrumes et au chocolat blanc

Préparation : I h
Cuisson : 30 mn
Pour 8 à I0 personnes

1 tasse de farine
4 œufs
2/3 de tasse de sucre en poudre
60 g de beurre fondu et refroidi

Garniture
2 cuil. à soupe de Maïzena
80 ml d'eau
80 ml de jus de citron
80 ml de jus d'orange
1 cuil. à café de zeste de citron
    finement râpé
1 cuil. à café de zeste d'orange
    finement râpé

1/3 de tasse de sucre en poudre
2 jaunes d'œufs
20 g de beurre

Glaçage
100 g de chocolat blanc haché
250 ml de crème liquide
60 g de beurre

Décoration
1 gros citron
250 ml d'eau
1/2 tasse de sucre en poudre
200 g de pastilles de chocolat blanc,
    fondues

● Préchauffer le four à 180 °C (th. 4).
Huiler ou beurrer deux moules ronds de
20 cm de diamètre. Tapisser de papier
sulfurisé. Graisser le papier.
1 Tamiser la farine trois fois au-dessus de
papier sulfurisé. Avec le fouet électrique,
battre les œufs et le sucre 6 mn dans
une jatte pour obtenir un mélange épais.

2 À l'aide d'une cuillère métallique,
incorporer rapidement la farine en deux
fois. La deuxième fois, ajouter le beurre
fondu. Étaler le mélange dans les moules
et faire dorer 20 mn au four. Laisser
reposer 2 mn avant de démouler sur une
grille. Laisser refroidir.
3 **Garniture :** dans un bol, délayer la
Maïzena dans un peu d'eau pour obtenir
une pâte. Mettre le reste de l'eau, le
jus, le zeste et le sucre dans une casserole. Faire dissoudre le sucre en
remuant à feu moyen, sans laisser
bouillir. Ajouter la pâte de Maïzena.
Porter à ébullition et laisser épaissir en

remuant constamment. En remuant, poursuivre la cuisson 1 mn. Ôter du feu, ajouter les jaunes d'œufs et le beurre et remuer pour bien mélanger. Transférer dans une jatte, couvrir de film alimentaire et laisser refroidir complètement.

4 Glaçage : mettre le chocolat, la crème et le beurre dans une casserole. Faire fondre à feu doux en remuant. Trans-férer dans une jatte. Couvrir de film alimentaire et laisser refroidir complètement, sans réfrigérer. À l'aide d'un batteur électrique, fouetter le mélange.

5 Décoration : peler le citron en larges lanières et ôter la peau blanche. Décou-per des étoiles à l'emporte-pièces. Mélanger l'eau et le sucre dans une casserole. Faire dissoudre le sucre à feu moyen en remuant. Ajouter les étoiles et porter à ébullition. Réduire le feu et laisser frémir 5 mn sans couvrir. Ôter les étoiles et égoutter sur une grille. Laisser refroidir. Sur un marbre ou une planche, étaler le chocolat fondu sur une épaisseur de 1 cm. Lisser. Lorsqu'il est dur, prélever de larges copeaux à l'aide d'un couteau aiguisé.

6 Assemblage : couper les gâteaux en deux horizontalement. Poser une part sur un plat de service. Répartir un tiers de la garniture. Répéter l'opération en terminant par du gâteau. Napper le dessus et les parois du gâteau de glaçage. Décorer des copeaux de chocolat blanc et des étoiles.

Secrets du chef

Conservation : le gâteau peut être cuit la veille et assemblé huit heures à l'avance. Par temps chaud, conserver au réfrigérateur.

Délice au chocolat

Préparation : 30 mn
Cuisson : 40 à 50 mn
Pour un gâteau de 20 cm de diamètre

1 tasse 1/3 de farine
2/3 de tasse de cacao en poudre
1 cuil. à café de bicarbonate de soude
1 tasse de sucre en poudre
2 œufs légèrement battus
250 ml de babeurre
1 cuil. à café d'essence de vanille
125 g de beurre ramolli
125 ml de crème liquide, fouettée
60 g de chocolat blanc, haché gros

Glaçage
60 g de beurre
60 g de chocolat noir fondu

● Préchauffer le four à 180 °C. Beurrer ou huiler un moule de 20 cm de diamètre et en tapisser le fond et les côtés avec du papier sulfurisé. Huiler la surface du papier. Tamiser la farine, le bicarbonate de soude et le cacao en poudre dans un bol. Ajouter le sucre.

1 Verser les œufs, le babeurre, l'essence de vanille et le beurre dans les ingrédients secs et battre au batteur électrique, à vitesse 1 pendant 3 mn pour bien mélanger.

2 Continuer à battre la pâte à vitesse 3 pendant 5 mn, jusqu'à ce qu'elle soit lisse et augmente de volume. La verser dans le moule et lisser la surface. Faire cuire de 40 à 50 mn au four. Insérer la pointe d'une brochette au centre du gâteau. Si elle est sèche en la retirant, le gâteau est cuit. Faire refroidir le gâteau dans le moule pendant 15 mn avant de le démouler sur une grille.

3 Glaçage : mélanger le beurre et le chocolat. Faire fondre à feu doux en remuant. Laisser tiédir. Trancher le dôme formé à la cuisson et partager le gâteau en deux épaisseurs. Napper de crème fouettée la surface du disque dont on a tranché le dôme et poser l'autre épaisseur dessus. Étaler le glaçage avec un couteau à palette. Mettre le chocolat blanc dans un bol et le faire fondre au-dessus d'une casserole d'eau frémissante. Enlever du feu et laisser refroidir légèrement.

4 Verser le chocolat blanc dans un petit cornet en papier sulfurisé et couper la pointe. Décorer de 8 à 10 cercles concentriques en filaments de chocolat. Faire glisser délicatement la pointe d'une brochette à partir du centre du gâteau vers le bord. Nettoyer la brochette et recommencer tout autour du gâteau.

Secrets du chef
Conservation : 3 jours, sans garniture ni glaçage dans un récipient hermétiquement fermé ou jusqu'à 3 mois dans le congélateur. Constituer le gâteau au moment de servir.

1

2

3

4

Desserts glacés

Petits paniers glacés

Préparation : 40 mn + congélation
Cuisson : 2 à 3 mn
Pour 8 personnes

4 x 50 g de barres au miel chocolatées
200 g de chocolat à croquer
2 l de glace à la vanille

● Retourner six petits verres sur la surface de travail. Couper en petits carrés de 8 x 14 cm (voir Note) une feuille de film alimentaire spécial congélation.
1 Couper les barres chocolatées grossièrement ; réserver.
2 Faire ramollir légèrement la glace dans un grand bol. Ajouter les morceaux de barres chocolatées et remettre ce mélange dans la boîte de la glace et la placer au congélateur.

3 Mettre le chocolat dans un petit bol et le faire fondre au bain-marie. Remuer pour obtenir une consistance onctueuse. Retirer du feu. Verser un rond de chocolat fondu sur chaque carré de plastique et les appliquer sur le fond des verres retournés.
4 Laisser le chocolat prendre, retourner les caissettes en chocolat et enlever délicatement la pellicule de plastique. Déposer une cuillère de glace dans chaque petit panier de chocolat. Décorer avec des copeaux en chocolat.

Secrets du chef
Conservation : la glace peut se conserver jusqu'à un mois dans le congélateur.
Note : le plastique utilisé pour la congélation est plus solide que le film alimentaire standard.
Conseil : s'il fait chaud, les petits paniers en chocolat doivent être mis au réfrigérateur pour pouvoir prendre.

1

2

3

4

Mousse glacée au chocolat et au whisky

Préparation : 10 mn + 3 h de réfrigération
Cuisson : 20 mn
Pour 6 personnes

250 g de chocolat noir
60 g de beurre ramolli
4 jaunes d'œufs
300 ml de crème liquide
2 cuil. à café d'essence de vanille
2 cuil. à soupe de whisky
1/4 de tasse de cacao en poudre

● Tapisser de film alimentaire un moule à cake de 21 x 14 x 7 cm.

1 Hacher grossièrement le chocolat. Mettre dans une jatte, poser sur une casserole d'eau frémissante et faire fondre doucement. Laisser refroidir.

2 Dans une jatte, battre le beurre et les jaunes d'œufs jusqu'à l'obtention d'une crème épaisse et onctueuse. Incorporer le mélange au chocolat refroidi. Dans une jatte moyenne, fouetter fermement la crème liquide avec l'essence de vanille. Incorporer le whisky. À l'aide d'une cuillère métallique, incorporer la crème fouettée au mélange au chocolat.

3 Verser la préparation dans le moule et congeler 2 à 3 heures, jusqu'à ce qu'elle soit ferme. Sortir du congélateur, démouler et ôter le film alimentaire. Lisser les ridules formées à la surface. Dresser sur un plat et saupoudrer de cacao. Si l'on ne sert pas immédiatement, remettre au congélateur jusqu'au moment opportun. Servir en tranches avec de la crème et des gaufrettes, le cas échéant.

Secrets du chef

Conservation : cette génoise glacée est meilleure servie immédiatement.

Note : ce dessert se déguste ferme mais moins dur que de la glace.

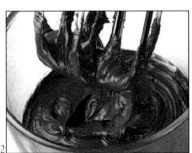

Sorbet Bellini

Préparation : 20 mn
 + congélation
Cuisson : 2 mn
Pour 6 personnes

2 tasses de sucre en poudre
1 l d'eau
5 grosses pêches
180 ml de champagne
2 blancs d'œufs

● Mélanger le sucre et l'eau dans une grande casserole.

1 Remuer à feu moyen sans laisser bouillir, jusqu'à dissolution du sucre. Porter à ébullition, ajouter les pêches et laisser frémir 20 mn. Ôter les pêches à l'écumoire et laisser refroidir complètement. Réserver 250 ml du liquide.

2 Peler les pêches, dénoyauter et couper la pulpe en morceaux. Réduire en purée au mixer. Ajouter le liquide réservé et le champagne et mixer brièvement pour bien mélanger.

3 Verser la purée dans un moule et congeler 6 h. Quand elle est ferme, transférer dans une jatte et battre jusqu'à l'obtention d'un mélange onctueux à l'aide d'un batteur électrique.

4 Battre les blancs d'œufs en neige très ferme. À l'aide d'une cuillère métallique, incorporer au sorbet battu. Remettre dans le moule et congeler. Servir le sorbet dans des coupes avec des lamelles de pêches et des cigarettes russes, le cas échéant.

Secrets du chef

Conservation : le sorbet peut se préparer deux heures à l'avance.

Conseil : avec une sorbetière électrique, on verse le mélange dans la machine après avoir ajouté le champagne et on met en marche. Lorsque le sorbet commence à prendre, on ajoute les blancs en neige et on remet en marche jusqu'à la prise complète. L'alcool et le sucre ralentissent la congélation.

Note : le champagne de piètre qualité et le mousseux ne conviennent pas pour cette recette : la différence se fera sentir.

Variante : d'autres fruits à noyau comme la nectarine ou les prunes conviendront tout aussi bien.

1

2

3

4

1

2

3

4

Glace au praliné et caramel clair

Préparation : 25 mn + 6 h de réfrigération
Cuisson : 7 mn
Pour 4 personnes

70 g d'amandes
1/4 de tasse de sucre en poudre
180 ml de crème liquide
250 g de mascarpone
125 g de chocolat blanc fondu, refroidi
2 cuil. à soupe de sucre en poudre, en plus

● Tapisser une plaque de four d'aluminium ménager. Huiler.
1 Mélanger les amandes et le sucre à feu doux dans une petite casserole. Secouer doucement la casserole (ne pas remuer) et laisser le sucre fondre et dorer : il faut compter entre 3 et 5 mn.
2 Verser le mélange sur la plaque. Laisser refroidir et durcir. Casser en morceaux, mettre dans un sac et écraser au rouleau à pâtisserie ou passer au mixer pour obtenir la texture d'une chapelure.
3 Fouetter fermement la crème. Mettre le mascarpone et le chocolat dans une jatte. Mélanger. Incorporer la crème fouettée et la praline. Transférer dans un récipient de 1 litre et laisser 6 h ou une nuit au congélateur. Ôter du congélateur 15 mn avant de servir. Servir dans des coupes avec le caramel clair et, le cas échéant, des figues fraîches et des gaufrettes.
4 Caramel clair : tapisser une plaque de four d'aluminium ménager. Huiler légèrement. Saupoudrer de sucre. Passer 2 mn sous le gril chaud, jusqu'à ce que le sucre soit dissous et doré.

Attention à ne pas le laisser brûler. Ôter du gril, laisser durcir et refroidir complètement, puis casser en morceaux.

Secrets du chef

Conservation : la glace au praliné peut se préparer 2 jours à l'avance et se conserve au congélateur dans un récipient hermétique. Le caramel doit être confectionné 30 mn avant de servir, surtout s'il fait humide.

Glace Forêt-Noire

Préparation : 45 mn
Cuisson : 10 mn
Pour 10 personnes

1 boîte de 425 g de cerises noires
　dénoyautées
200 g d'amandes effilées, grillées
2 litres de glace à la vanille
200 g de chocolat noir
35 g de Végétaline

● Tapisser 2 plaques de papier d'aluminium et les congeler jusqu'à leur utilisation. Égoutter les cerises et les essuyer avec un essuie-tout. Faire dorer les amandes sur une autre plaque pendant 5 mn, à 180 °C. Laisser refroidir.

1 Mettre une cerise dans la crème glacée. À l'aide d'une cuillère à glace trempée dans l'eau froide, prendre une cuillerée de glace avec la cerise au milieu. Faire une boule et la rouler dans les amandes grillées. La poser sur une des plaques tapissées d'aluminium.

2 Continuer avec les autres cerises. Faire fondre le chocolat et la Végétaline au bain-marie et laisser refroidir légèrement.

3 Plonger rapidement les boules de glace dans le chocolat fondu à l'aide d'une cuillère et les poser sur l'autre plaque ; travailler rapidement. Faire congeler jusqu'à ce que le chocolat ait pris. Pour servir, disposer sur des assiettes et couper en deux.

1

2

3

Bûche glacée au miel et au whisky et sa sauce à la rhubarbe

Préparation : 40 mn
Cuisson : 5 à 10 mn
Pour 10 à 12 personnes

6 jaunes d'œufs
125 ml de miel
60 ml de whisky
625 ml de crème liquide, fouettée

Sauce à la rhubarbe
750 g de rhubarbe, en morceaux
1 cuil. à soupe de zeste d'orange râpé
250 ml de jus d'orange
1 tasse 1/4 de sucre
125 ml d'eau
1 pincée de cannelle

● Garnir un moule de 22 x 11 x 6,5 cm de papier d'aluminium.
1 Battre les jaunes d'œufs pour obtenir un mélange épais et de couleur pâle. Faire chauffer 15 secondes le miel au micro-ondes (position « fort ») ou 1 mn au bain-marie. Ajouter le miel sans cesser de battre. Incorporer le whisky et la crème. Verser dans le moule. Mettre au congélateur 3 à 4 h, jusqu'à ce que la bûche soit prise.
2 **Sauce à la rhubarbe :** mettre la rhubarbe, le zeste et le jus de citron, le sucre, l'eau et la cannelle dans une casserole et faire chauffer à feu moyen jusqu'à ce que la rhubarbe soit cuite. Passer le mélange à la passoire puis mettre au réfrigérateur.
3 Démouler la bûche. Couper en tranches et servir accompagné de sauce à la rhubarbe.

Secrets du chef
Conservation : la bûche glacée peut se préparer jusqu'à 1 semaine à l'avance. La sauce peut être faite 2 jours à l'avance.

Bombe aux fruits

Préparation : 20 mn
+ une nuit de trempage
+ une nuit de congélation
Cuisson : aucune
Pour 8 personnes

300 g de fruits secs hachés
1/2 tasse de figues sèches, finement
    hachées
4 cuil. à soupe de rhum
80 g d'amandes effilées
4 œufs
1 tasse de sucre en poudre
375 ml de crème liquide
160 ml de babeurre

● Mélanger le hachis de fruits secs, les figues et le rhum dans un saladier. Couvrir d'un morceau de film fraîcheur et laisser les fruits s'imbiber de rhum pendant la nuit. Mettre les amandes sur une plaque de four. Les faire griller sous un gril chaud jusqu'à ce qu'elles soient dorées.

1 Avec un batteur électrique, fouetter les œufs 5 mn dans un grand saladier jusqu'à ce que le mélange ait épaissi et pâli.

2 Ajouter progressivement le sucre en fouettant le mélange pour qu'il prenne une couleur jaune pâle et brille. Ajouter peu à peu le mélange de crème et de babeurre ; continuer à battre pendant 5 mn.

3 Incorporer les fruits et les amandes. Verser dans un moule à pudding et recouvrir d'aluminium. Laisser congeler une nuit.

4 Pour retirer le pudding du moule, enfoncer la lame d'un couteau entre le moule et le pudding. Faire délicatement glisser le pudding sur le plat de service. Garnir de figues et d'amandes supplémentaires. Couper en morceaux avant de servir.

Secrets du chef

Conservation : préparer la veille.

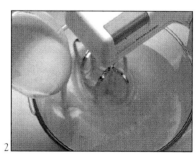

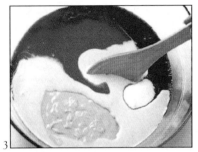

Damier glacé

Préparation : 40 mn
  + 3 h de congélation
Cuisson : aucune
Pour 10 à 12 personnes

Couche blanche
200 g de chocolat blanc, fondu
180 ml de crème liquide
2 œufs

Couche rose
300 g de fraises ou de framboises
  surgelées ou fraîches
150 g de chocolat blanc, fondu
1 cuil. à soupe de sucre en poudre
60 ml de crème liquide
2 œufs
125 ml de crème fraîche épaisse
1 blanc d'œuf, battu

Sauce aux fruits rouges
500 g de fraises ou de framboises
  surgelées ou fraîches
2 cuil. à café de sucre
  en poudre
Environ 125 ml d'eau

● Tapisser les fonds et les bords de deux moules à cake de 8 x 26 cm de film alimentaire ou de papier d'aluminium. (Décongeler les fruits avant de commencer la préparation).
1 **Couche blanche :** mélanger le chocolat, 60 ml de crème et les jaunes d'œufs dans un bol. Dans un autre bol, fouetter le reste de la crème. Incorporer au mélange. Battre les blancs d'œufs en neige ferme, dans un bol bien sec.
2 Avec une cuillère en métal, incorporer délicatement les blancs au mélange. Partager en deux dans les deux moules. Égaliser les surfaces avec la lame d'un couteau. Recouvrir et mettre au congélateur pour laisser prendre.

3 **Couche rose :** mixer les fruits rouges. Mélanger dans un bol avec le chocolat, le sucre, la crème et les jaunes d'œufs pour obtenir une consistance onctueuse. Fouetter le reste de crème. Incorporer au mélange. Battre les blancs d'œufs en neige ferme, au batteur électrique, dans un bol bien sec. Incorporer les blancs en neige au mélange. Partager en deux dans les deux moules, sur les couches de glace blanche. Recouvrir avec un film alimentaire et congeler jusqu'à ce que la glace soit bien ferme.

4 Damier : démouler une des glaces sur une surface de travail, à l'aide d'un couteau passée entre le bord du moule et la glace. Couper quatre tranches égales, dans le sens de la longueur, en travaillant très rapidement. Retourner deux tranches à l'envers. Badigeonner les surfaces avec du blanc d'œuf. Placer les surfaces à l'envers sur les tranches qui restent pour réaliser un effet de damier. Congeler pendant la préparation du second damier.

5 Démouler les glaces sur la surface de travail, l'une doit être posée à l'envers. Badigeonner les surfaces avec du blanc d'œuf. Assembler les deux glaces. Recouvrir le damier avec un film alimentaire, faire bien adhérer les deux glaces, en appuyant légèrement mais fermement. Remettre au congélateur 1 heure. Servir en tranches et arroser de sauce aux fruits rouges.

6 Sauce aux fruits rouges : passer les fraises ou les framboises au mixeur avec le sucre et un peu d'eau pour garder une

consistance assez épaisse.

Secrets du chef

Conservation : ce dessert peut être conservé jusqu'à deux mois au congélateur, en l'enveloppant dans un plastique. La sauce peut être préparée la veille, et être conservée dans le réfrigérateur.

Conseil : si les fruits rouges ont des pépins, il est préférable de les passer au tamis avant de les ajouter au chocolat et aux autres sauces.

Cassata

Préparation : 50 mn + une nuit au congélateur
Cuisson : aucune
Pour 8 personnes

1 litre de glace à la vanille
500 g de glace au chocolat
1/3 de tasse de fruits confits hachés
1 cuil. à soupe de Grand Marnier ou
    de Cointreau
125 ml de crème liquide, fouettée
1 cuil. à café d'essence de vanille
1 blanc d'œuf, battu
1 cuil. à soupe de sucre glace
2 cuil. à soupe de pistaches grillées
    hachées

1 Mettre un moule à gâteau dans le congélateur. Laisser la glace à la vanille à température ambiante pendant 10 mn environ, jusqu'à ce qu'elle soit assez ramollie pour pouvoir l'étaler dans le moule et pour recouvrir les côtés. Remettre dans le congélateur pendant environ 20 mn. Ramollir la glace au chocolat légèrement et recouvrir la glace à la vanille. Refaire congeler pendant 20 mn, pour bien affermir les deux glaces.
2 Pendant ce temps, mélanger les fruits confits et la liqueur et laisser de côté. Battre la crème et l'essence de vanille jusqu'à l'obtention de becs au bout des fouets. Dans un bol, battre le blanc d'œuf en neige ferme avec le fouet bien propre et sec et ajouter peu à peu le sucre glace. Incorporer les blancs en neige à la crème

et ajouter les noix et les fruits. Remplir le centre du moule de crème et lisser la surface. Recouvrir de papier d'aluminium et laisser au congélateur pendant au moins 6 h, ou toute une nuit.
3 Sortir la cassate du congélateur 10 mn avant de servir, pour la faire ramollir légèrement. Dégager les bords avec une spatule et démouler sur un plat.

Secrets du chef
Conservation : la cassate peut se garder au congélateur jusqu'à un mois.
Conseil : pour démouler facilement la cassate, entourer le moule d'un torchon humide et chaud. Réchauffer le tissu jusqu'à ce que le moule se dégage. Mais attention de ne pas faire trop fondre la glace.

Utiliser le dos d'une cuillère pour recouvrir les côtés et le fond du moule de glace à la vanille.

Remplir le centre du moule de crème et lisser la surface.

Pour dégager la cassate, faire passer une spatule le long des bords du moule avant de démouler.

Bûchettes au chocolat et aux marrons

Préparation : 50 mn
+ congélation pendant une nuit
Cuisson : 15 mn
Pour 10 à 12 personnes

150 g de beurre
1/3 de tasse de sucre en poudre
250 ml de purée de marrons
175 g de chocolat noir, haché
60 ml de café très fort
60 ml de brandy
125 g d'amandes
1/2 tasse de sucre en poudre

1 Battre le beurre et le sucre en crème. Lorsqu'il est léger et crémeux, lui ajouter la purée de marrons. Faire fondre le chocolat, le café et le brandy au bain-marie. Faire refroidir et ajouter au mélange de marrons et bien remuer. Verser avec une cuillère dans un moule à cake tapissé d'un film alimentaire. Faire congeler toute une nuit.

2 Tapisser une plaque de papier sulfurisé. Mettre les amandes et le sucre dans une poêle à fond épais. Faire chauffer à feu doux, en remuant la poêle. Le sucre forme des morceaux puis fond en caramel (le praliné peut brûler très vite, il faut donc soulever la poêle du feu de temps en temps). Verser sur la plaque et laisser prendre. Passer le rouleau sur le praliné pour le hacher.

3 Couper le mélange au chocolat en deux, dans le sens de la longueur. Envelopper chaque moitié dans un film alimentaire et rouler pour faire des bûchettes. Mettre au congélateur pendant 30 mn. Développer et rouler dans le praliné pour recouvrir. Servir en tranches.

Ajouter le chocolat fondu refroidi, le café et le brandy au mélange de purée de marrons.

Pour faire le praliné, remuer la poêle au lieu de remuer avec une cuillère.

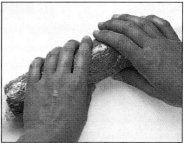
Envelopper le mélange et rouler chaque moitié pour faire des bûchettes.

Chocolats froids

Un chocolat liégeois à la terrasse d'un café parisien, un milk-shake à Broadway…
Autant de bons souvenirs à retrouver. Ces recettes toutes simples font aussi
la joie des enfants.

Chocolat liégeois

Dans un grand verre, délayer 1 cuil. à soupe de chocolat en
poudre dans un peu de lait et bien remuer. Ajouter du lait très
froid. Recouvrir de crème chantilly ou d'une boule de glace à
la vanille (ou les deux à la fois).

Jaffa fizz

Remplir un verre de boisson à l'orange. Ajouter une boule de
glace au chocolat, remuer doucement. Décorer avec des
tranches d'orange.

Milk-shake glacé

Mixer 250 ml de lait et 1 cuil. à soupe de sirop de chocolat.
Ajouter 1 à 2 boules de glace et continuer à mixer pour obtenir un mélange onctueux et assez épais. (Le milk-shake ne doit
pas être trop liquide). Verser dans un grand verre et servir avec
une paille assez large.

Milk-shake au chocolat et à la menthe

Mixer 500 ml de lait, 4 à 5 cubes de glace et 6 morceaux de chocolat fourré à la menthe pour obtenir un mélange onctueux. Ajouter une boule de glace, selon le goût.

Choco-banana

Mixer 1 grosse banane épluchée et coupée en morceaux, 250 ml de lait et 1 cuil. à soupe de yoghourt nature épais. Ajouter un peu de sirop de chocolat et mélanger pour obtenir une consistance épaisse et mousseuse.

Chocolat malté

Mixer 250 ml de lait froid, 1 boule de glace, un peu de sirop de chocolat et 1 cuil. à soupe rase d'Ovomaltine pour obtenir une consistance mousseuse. Ajouter du chocolat râpé ou quelques copeaux de chocolat comme garniture.

Milk-shake au chocolat et à la fraise

Verser du lait glacé dans un grand verre. Ajouter un peu de sirop de fraises et une grosse cuillère de chocolat au lait râpé. Bien mélanger.

Les milk-shakes sont illustrés ci-dessous, de gauche à droite : Chocolat liégeois, Jaffa Fizz, Milk-shake glacé, Milk-shake au chocolat et à la menthe, Choco-banana, Chocolat malté, Milk-shake au chocolat et à la fraise.

Gâteaux au fromage

Gâteau new-yorkais

Préparation : 1 h + réfrigération
Cuisson : 1 h 50
Pour 10 à 12 personnes

1/2 tasse de farine avec levure
   incorporée
1 tasse de farine
1/4 de tasse de sucre en poudre
1 cuil. à soupe de zeste de citron râpé
80 g de beurre
1 œuf

Garniture
750 g de fromage frais crémeux
1 tasse de sucre en poudre
1/4 de tasse de farine
2 cuil. à café de zeste d'orange râpé
2 cuil. à café de zeste de citron râpé
4 œufs
180 ml de crème liquide

Zestes confits
1 tasse de sucre en poudre
Zestes de 3 citrons verts, 3 citrons et
   3 oranges, coupés en lamelles fines
375 ml de crème liquide

1 Mixer 30 s les farines, le sucre, le zeste de citron et le beurre, pour obtenir une texture sablée. Ajouter l'œuf et mixer à nouveau pour faire une pâte sablée et la pétrir légèrement sur une surface farinée. L'envelopper dans un film alimentaire et la réfrigérer pendant 20 mn.

2 Préchauffer le four à 210 °C. Étaler la pâte entre 2 feuilles de papier sulfurisé. La surface doit être assez large pour recouvrir le fond d'un moule beurré à bord amovible de 22 cm de diamètre. Faire cuire 10 mn en recouvrant de papier sulfurisé, parsemé de haricots secs, puis découvrir, lisser la pâte légèrement avec une cuillère et terminer 5 mn la cuisson. Laisser refroidir.

3 Garniture : réduire la température du four à 150 °C. Battre le fromage frais, le sucre, la farine et les zestes d'agrumes pour obtenir un mélange onctueux. Ajouter les œufs, un à un, en continuant à battre. Ajouter la crème, verser ce mélange sur la pâte et remettre au four jusqu'à ce que le gâteau ait bien pris. Laisser refroidir et réfrigérer.

4 Zestes confits : mettre le sucre dans une casserole avec 60 ml d'eau et remuer à feu doux pour le délayer. Ajouter les zestes, porter à ébullition, continuer à feu doux et faire mijoter de 5 à 6 mn. Laisser refroidir et égoutter les zestes (utiliser le sirop pour accompagner le gâteau). Fouetter la crème et en verser des cuillerées sur le gâteau froid. Garnir avec les zestes confits.

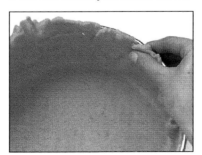

Garnir le moule de pâte, en ajoutant des bouts de pâte pour combler les trous.

Ajouter les zestes d'agrumes râpés au sirop et porter à ébullition.

Gâteau au fromage et aux framboises

Préparation : 25 mn + 3 h de réfrigération
Cuisson : aucune
Pour un gâteau de 20 cm de diamètre

150 g de biscuits sablés
2 cuil. à soupe de sucre en poudre
30 g de beurre, fondu
250 g de fromage frais crémeux
1/3 de tasse de sucre en poudre, supplémentaire
1/2 cuil. à café d'essence de vanille
2 cuil. à café de gélatine
2 cuil. à soupe de jus de citron

125 ml de crème liquide, fouettée
400 g de framboises fraîches

● Enduire de beurre fondu ou d'huile un moule à gâteau de 20 cm.

1 Mixer les biscuits jusqu'à ce qu'ils soient finement émiettés. Les transvaser dans un saladier et ajouter le sucre ; mélanger. Verser le beurre fondu dessus et remuer jusqu'à ce que les miettes soient bien moelleuses. Mettre à la cuillère dans le moule graissé et égaliser avec le dos d'une cuillère. Mettre au réfrigérateur.

2 Battre au fouet électrique le fromage frais et le sucre supplémentaire dans un saladier jusqu'à ce que le mélange soit léger et crémeux. Ajouter l'essence de vanille ; mélanger.

3 Mélanger la gélatine et le jus de citron dans un saladier. Placer ce dernier dans de l'eau chaude ; remuer jusqu'à ce que la gélatine soit dissoute. Ajouter au mélange à base de fromage frais et fouetter le tout. Incorporer la crème fouettée, puis la moitié des framboises. Verser sur le fond du gâteau ; niveler la surface. Disposer le reste de framboises sur le dessus ; mettre au moins 3 h au réfrigérateur.

Secrets du chef

Conservation : ce plat peut être préparé 8 h à l'avance et conservé au réfrigérateur.

Variante : remplacer 1 cuil. à soupe de biscuit émietté par 1 cuil. à soupe de poudre d'amandes.

2

3

Gâteau au fromage frais

Préparation : 40 mn
+ 30 mn de réfrigération
Cuisson : 30 mn
Pour un gâteau de 20 x 30 cm

200 g de biscuits au chocolat,
émiettés
80 g de beurre, fondu
100 g de pépites de chocolat noir

Garniture
375 g de fromage frais crémeux
125 g de sucre
3 œufs
150 g de chocolat blanc, fondu

Glaçage
150 g de chocolat à croquer, fondu
160 g de crème fraîche

● Préchauffer le four à 180 °C (au gaz th. 4). Beurrer un moule rectangulaire de 20 x 30 cm. Tapisser le fond et les deux côtés les plus longs avec du papier sulfurisé.

1 Mélanger les biscuits émiettés et le beurre dans un bol et bien remuer. Appuyer sur le mélange pour qu'il adhère bien au fond du moule. Saupoudrer de pépites de chocolat.

2 **Garniture :** battre en crème le fromage frais avec un batteur électrique. Ajouter le sucre puis les œufs, un à un en continuant à battre. Ajouter le chocolat et battre pour que la consistance soit onctueuse. Étaler le mélange sur le fond préparé. Faire cuire 30 minutes au four ou jusqu'à ce que le gâteau soit pris. Laisser refroidir, recouvrir et réfrigérer pour le rendre ferme.

3 **Glaçage :** mélanger le chocolat et la crème fraîche dans un petit bol et faire

fondre au bain-marie en remuant. Lorsque le mélange est onctueux, l'étaler sur le gâteau en dessinant des lignes diagonales avec la lame d'un couteau. Réfrigérer pour rendre ferme et couper en tranches.

1

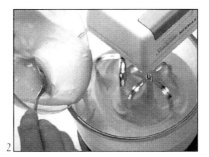
2

3

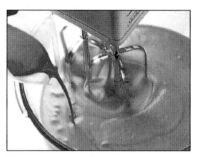

Ajouter les biscuits, les noisettes et le beurre fondu jusqu'à humidification des biscuits.

Battre en ajoutant la farine et la crème, puis la liqueur.

Faire chauffer le sucre et l'eau à feu doux, sans faire bouillir.

Gâteau à la liqueur de café

Préparation : 50 mn
+ réfrigération
Cuisson : environ 1 h
Pour 6 à 8 personnes

150 g de bastognes, finement émiettés
3/4 de tasse de noisettes moulues
100 g de beurre, fondu
400 g de fromage frais crémeux
1/4 de tasse de sucre
3 œufs
6 cuil. à café de farine
125 ml de crème fraîche
80 ml de Kahlua, de Tia Maria ou de
    Bailey's Irish Cream

Garniture
375 g de sucre en poudre
1 cuil. à café de café instantané
100 g de noisettes entières, grillées
300 ml de crème fraîche

1 Beurrer un moule à bord amovible de 20 cm de diamètre et le tapisser de papier sulfurisé. Mélanger les biscuits, les noisettes et le beurre. Appuyer ferme-ment le mélange dans le fond du moule et autour des bords en utilisant un verre pour bien tasser. Réfrigérer de 10 à 15 mn.

2 Préchauffer le four à 180 °C. Battre le fromage frais et le sucre avec un batteur électrique pour obtenir un mélange onctueux. Ajouter les œufs, un à un, en continuant à battre. Mélanger la farine et la crème et l'incorporer au mélange en battant bien. Ajouter la liqueur. Verser dans le moule et mettre au four, sur une plaque. Faire cuire de 40 à 50 mn au four. Sortir du four et laisser refroidir. Réfrigérer pendant plusieurs heures.

3 Garniture : mettre le sucre dans une casserole contenant 180 ml d'eau. Remuer à feu doux sans faire bouillir jusqu'à ce que le sucre soit dissous. Laisser mijoter de 10 à 12 mn pour dorer. Enlever du feu et ajouter le café délicatement.

4 Avec deux cuillères, plonger les noisettes une à une dans le caramel et les déposer sur une plaque légèrement huilée et tapissée d'un papier aluminium. Laisser prendre. Fouetter la crème en chantilly. Démouler le gâteau et recouvrir de crème fouettée, décorer de noisettes au caramel et de filaments en sucre.

Secrets du chef
Note : les noisettes au caramel peuvent être entières ou écrasées. Incorporer les noisettes écrasées dans la crème fouettée.

Gâteau à l'orange et aux pistaches

Préparation : 1 h + 24 h de réfrigération
Cuisson : aucune
Pour 8 à 10 personnes

200 g de biscuits à l'orange
75 g de beurre, fondu
2/3 de tasse de pistaches hachées
60 ml de marmelade d'oranges
250 g de fromage frais crémeux
1 cuil. à soupe de zeste d'orange râpé
1/3 de tasse de sucre en poudre
2 cuil. à soupe de miel
170 g de yaourt
125 ml de jus d'orange

1 cuil. à soupe de gélatine
300 ml de crème fraîche épaisse,
    fouettée
1 orange
Crème fouettée et pistaches hachées,
    pour décorer

1 Beurrer un moule à bord amovible de 23 cm de diamètre et le tapisser de papier sulfurisé. Mélanger les biscuits émiettés et le beurre. Recouvrir le fond du moule et aplatir avec les doigts. Ratisser légèrement avec une fourchette et réfrigérer pendant 30 mn. Mélanger les pistaches et la marmelade, étaler sur le biscuit et réfrigérer.
2 Battre le fromage frais, le zeste d'orange, le sucre et le miel pour en faire une crème. Ajouter le yaourt et le jus, et battre pour bien mélanger. Saupoudrer la gélatine sur

2 cuil. à soupe d'eau dans un petit bol. Placer le bol dans un bol plus large contenant de l'eau bouillante, en remuant pour faire dissoudre la gélatine. Verser dans le mélange au fromage frais, en battant. Incorporer la crème délicatement. Verser dans le moule et réfrigérer une nuit.
3 Couper le dessus et le dessous d'une orange et l'éplucher en spirale (seulement le zeste). Séparer en quartiers. Démouler le gâteau et en décorer le pourtour avec les pistaches, puis poser des cuillerées de crème fouettée, des quartiers d'orange et des noix sur le dessus.

Secrets du chef
Variante : remplacer les pistaches par des noisettes ou des amandes grillées et hachées.

Napper le fond de petits-beurre émiettés du mélange de noix et de marmelade et réfrigérer.

Verser la gélatine dans le mélange de fromage frais en battant.

Couper l'orange en quartiers, après avoir enlevé la peau blanche.

117

Beurrer le moule et le tapisser de papier sulfurisé.

Ajouter les jaunes d'œufs et le zeste d'orange et battre pour bien mélanger.

Ajouter les fruits confits et le chocolat et bien mélanger.

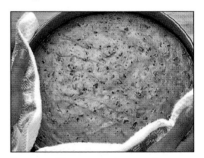

Faire cuire 50 minutes au four, jusqu'à ce que le dessus du gâteau soit doré.

Gâteau sicilien

Préparation : 35 mn
    + 6 h de réfrigération
Cuisson : 50 mn
Pour 10 à 12 personnes

250 g de biscuits au chocolat
125 g de beurre, fondu
500 g de ricotta
250 g de fromage frais crémeux
1/2 tasse de sucre en poudre
3 jaunes d'œufs
2 cuil. à café de zeste d'orange
    finement râpé
180 g de fruits confits, hachés
1/3 de tasse de mélange d'écorces confites
1/3 de tasse de chocolat finement haché
    et de sucre glace, pour saupoudrer

1 Beurrer un moule à bord amovible de 25 cm de diamètre et tapisser le fond de papier sulfurisé. Passer les biscuits au mixeur pendant 20 s. Ajouter le beurre et mixer à nouveau pour bien mélanger. Verser dans le moule, aplatir avec les doigts et réfrigérer. Préchauffer le four à 180 °C.
2 Battre la ricotta, le fromage frais et le sucre en poudre pendant 3 mn. Ajouter les jaunes d'œufs et le zeste d'orange.
3 Ajouter les fruits confits, les écorces confites et le chocolat et bien mélanger. Verser à l'aide d'une cuillère sur le biscuit et lisser avec une spatule.
4 Faire cuire 40 mn au four, jusqu'à ce que le dessus du gâteau soit doré. Laisser refroidir dans le moule, couvrir et réfrigérer pendant au moins 6 h. Démouler et saupoudrer de sucre glace tamisé.

Secrets du chef
Conservation : ce gâteau, couvert, peut se garder au réfrigérateur jusqu'à trois jours, mais on ne peut pas le congeler.

Gâteau au fromage frais et à la sauce de framboises

Préparation : 35 mn
+ réfrigération
Cuisson : de 1 h 20 à 2 h
Pour 8 personnes

250 g de petits-beurre
125 g de beurre, fondu
3 cuil. à café de zeste de citron râpé
750 g de ricotta
4 œufs, légèrement battus
250 ml de babeurre
2 cuil. à soupe de Maïzena
125 ml de miel
1 cuil. à soupe de jus de citron
Sucre glace, pour saupoudrer

Sauce aux framboises
1 paquet de 300 g de framboises
    surgelées
1/4 de tasse de sucre glace
1 cuil. à café de jus de citron

1 Beurrer un moule à bord amovible de 22 cm de diamètre et tapisser le fond avec du papier sulfurisé. Préchauffer le four à 160 °C. Mixer 20 s les petits-beurre pour les émietter. Ajouter le beurre fondu et 2 cuil. à soupe de zeste de citron. Bien mélanger. Verser des cuillerées de ce mélange dans le moule et appuyer fermement. Réfrigérer et préparer la garniture.
2 Battre la ricotta au batteur électrique pendant 2 mn, pour obtenir un mélange onctueux. Ajouter les œufs, un à un, en continuant à battre. Battre le babeurre et la Maïzena et ajouter peu à peu au mélange. Battre le miel, le reste du zeste de citron et le jus. Verser dans le moule. Faire cuire pendant environ 1 h 20, jusqu'à ce que le dessus soit moelleux. (La cuisson peut prendre jusqu'à 2 h). Laisser refroidir, puis réfrigérer pendant au moins 6 h. Sortir du réfrigérateur et laisser à température ambiante, saupoudrer de sucre glace et servir avec de la sauce aux framboises.
3 Sauce aux framboises : décongeler les framboises et les passer au mixeur avec le sucre glace pendant 20 s, jusqu'à ce que le mélange soit onctueux. Ajouter le jus de citron.

Secrets du chef
Conservation : couvrir et réfrigérer jusqu'à trois jours, mais ne pas congeler.

Lorsque la ricotta est onctueuse continuer à battre en ajoutant les œufs un à un.

Verser la garniture dans le moule.

Mixer le sucre glace et les framboises décongelées pour obtenir un mélange onctueux.

Gâteau aux framboises

Préparation : 1 h 30
    + 24 h de réfrigération
Cuisson : 20 à 25 mn
Pour 6 à 8 personnes

150 g de petits-beurre, émiettés
70 g de beurre, fondu
250 g de fromage frais crémeux
1/3 de tasse + 1 cuil. à café de sucre
    en poudre
160 ml de crème fraîche
2 œufs
1 cuil. à café de Maïzena
160 ml de lait
2 cuil. à café d'essence de vanille
1 cuil. à soupe de gélatine
300 g de framboises surgelées
80 ml de confiture de framboises,
    passée au tamis
2 cuil. à soupe de brandy

Bords en génoise

2 œufs
1/3 de tasse de sucre en poudre
1/3 de tasse de farine
2 cuil. à soupe de Maïzena
20 g de beurre, fondu

1 Beurrer un moule à bord amovible de 20 cm de diamètre. Tapisser de papier sulfurisé. Mélanger les biscuits et le beurre dans un bol et remuer jusqu'à ce que les biscuits soient bien humides. Aplatir fermement avec les doigts pour bien recouvrir le moule.

2 Pour préparer la garniture, battre le fromage, 1/3 de tasse de sucre en poudre et la crème fraîche pour obtenir une consistance onctueuse et crémeuse. Fouetter le reste du sucre, les jaunes d'œufs et la Maïzena jusqu'à l'obtention d'un mélange épais et clair. Faire chauffer le lait et avant qu'il ne bouille, ajouter le mélange de jaunes d'œufs en battant. Remettre le mélange dans la casserole et faire chauffer à feu doux pour épaissir. Le mélange doit attacher au dos de la cuillère en bois. Enlever du feu et ajouter l'essence de vanille. Recouvrir la surface d'un film alimentaire et laisser refroidir légèrement. Saupoudrer la gélatine sur 1 cuil. à soupe d'eau bouillante dans un petit bol. Le placer dans un plus grand bol contenant de l'eau bouillante et laisser dissoudre. Ajouter à la crème. Incorporer cette crème au mélange au fromage frais et remuer pour

bien mélanger. Battre les blancs d'œufs en neige ferme et les incorporer délicatement. Ajouter les framboises, en prenant soin de les garder entières. Verser à l'aide d'une cuillère, dans le moule et réfrigérer toute une nuit.

3 Bord en génoise : tapisser de papier sulfurisé un moule de 25 x 40 cm. Dessiner deux fois 2 lignes parallèles à 8 cm d'intervalle, sur le papier. Laisser de l'espace entre ces deux groupes de parallèles pour que les morceaux de génoise ne se rejoignent pas en se répandant au moment de la cuisson. Préchauffer le four à 180 °C. Battre les œufs en neige ferme avec un batteur électrique et ajouter le sucre graduellement, en continuant à battre, jusqu'à ce que le mélange soit brillant et que le sucre soit dissous. Ajouter les jaunes d'œufs. Avec une cuillère en métal, incorporer les farines tamisées, un tiers à la fois. Ajouter le beurre délicatement et remuer pour obtenir un mélange onctueux.

4 Verser la pâte dans une poche munie d'une douille lisse de 1 cm de diamètre. Faire un serpentin de pâte entre les lignes parallèles. Faire cuire de 10 à 15 mn au four, jusqu'à ce que la pâte soit dorée. Démouler le gâteau au fromage avec soin. Couper un côté de cette bande ainsi que les deux bouts. Entourer le gâteau de cette bande en posant le bord droit sur le plat. Appuyez doucement sur ce bord pour bien le faire adhérer au gâteau, ou le sécuriser par un ruban.

5 Faire chauffer 2 à 3 mn la confiture et le brandy dans une casserole, à feu doux pour les réduire légèrement. Laisser refroidir un peu avant d'en badigeonner le dessus du gâteau sans l'endommager. Laisser prendre avant de servir.

Secrets du chef

Note : le bord en génoise peut être préparé 12 h à l'avance.

Ajouter le lait chaud en battant.

Remuer jusqu'à ce que le mélange épaississe et attache au dos de la cuillère en bois.

Avec une cuillère en métal, incorporer
les farines tamisées, un tiers à la fois.

Avec une douille de 1 cm de diamètre, déposer
le mélange en serpentins entre les 2 lignes.

Couper un côté de cette bande de génoise, ainsi
que les bouts et entourer le bord du gâteau.

Gâteau au rhum et aux raisins secs

Préparation : 40 mn
Cuisson : 1 h 10
Pour 10 à 12 personnes

125 g de petits-beurre
1/4 de tasse de noix de pécan
hachées
90 g de beurre, fondu

Garniture
750 g de fromage frais crémeux
1/2 tasse de sucre en poudre
2 cuil. à soupe de rhum

3 œufs, blancs et jaunes séparés
300 g de crème fraîche
1 cuil. à soupe de farine
1/2 tasse de raisins secs
Noix de muscade moulue

1 Beurrer un moule à bord amovible de 23 cm de diamètre et tapisser de papier sulfurisé. Passer les petits-beurre au mixeur avec les noix de pécan. Ajouter le beurre et continuer à mixer. Verser dans le moule, bien aplatir avec les doigts et réfrigérer. Préchauffer le four à 160 °C.
2 Garniture : battre le fromage et ajouter le sucre et le rhum. Ajouter ensuite les jaunes d'œufs, un à la fois, en continuant à battre. Ajouter la

crème fraîche et la farine. Incorporer les raisins secs. Battre les blancs d'œufs en neige ferme et incorporer au mélange. Verser sur les biscuits dans le moule. Lisser le dessus et saupoudrer légèrement de noix de muscade.
3 Faire cuire 1 h 10 mn au four, jusqu'à ce que le gâteau soit ferme au toucher. Laisser refroidir dans le four puis réfrigérer. Servir avec de la crème fraîche et des copeaux de chocolat.

Secrets du chef
Conseil : battre les blancs d'œufs en neige dans un bol très propre et bien sec, avec un fouet très propre. Attendre de battre les œufs au dernier moment car ils retombent très vite.

Passer les petits-beurre et les noix de pécan au mixeur.

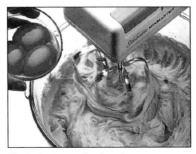

Ajouter les jaunes d'œufs un à un, en continuant à battre.

Battre les blancs en neige ferme avec un bol très propre et bien sec.

Gâteau à la cannelle et au miel

Préparation : 1 h
    + congélation
Cuisson : 25 mn
Pour 8 à 10 personnes

100 g d'amandes effilées
3/4 de tasse de sucre en poudre
200 g de petits-beurre
100 g de beurre, fondu
250 g de mascarpone
250 g fromage frais crémeux
400 g de lait condensé
60 ml de miel

300 ml de crème liquide
2 cuil. à café de cannelle en poudre

1 Préchauffer le four à 150 °C. Pour préparer la nougatine, étaler les amandes sur un papier d'aluminium, beurrer une plaque. Mettre le sucre dans une casserole avec 125 ml d'eau et faire dissoudre à feu doux. Porter à ébullition, faire frémir sans remuer pour faire dorer le sucre. Verser sur les amandes et laisser refroidir avant de le casser en morceaux.

2 Beurrer un moule à bord amovible de 23 cm de diamètre. Conserver la moitié de la nougatine et mixer le reste avec les biscuits. Lorsque le mélange est bien haché, ajouter le beurre et presser dans le moule. Faire cuire 15 mn au four et laisser refroidir.

3 Battre le mascarpone et le fromage frais au mixeur pour obtenir un mélange onctueux. Ajouter le lait condensé et le miel. Fouetter la crème en chantilly et incorporer. Verser dans le moule, saupoudrer de cannelle et remuer délicatement. Ne pas trop mélanger. Mettre au congélateur pendant plusieurs heures et décorer avec le reste de la nougatine. Servir avec des poires pochées, à la cannelle ou une compote de fruits secs.

Secrets du chef

Conservation : ce gâteau peut être congelé jusqu'à une semaine.

Verser le sucre légèrement caramélisé sur les amandes effilées étalées sur une plaque.

Passer la nougatine et les petits-beurre au mixeur.

Saupoudrer de cannelle et remuer délicatement.

123

Gâteau au brandy

Préparation : 35 mn
    + 6 h de réfrigération
Cuisson : 30 mn
Pour 8 à 10 personnes

250 g de petits-beurre
100 g de beurre, fondu
1 cuil. à café de cannelle
500 g de fromage frais crémeux
125 ml de crème fraîche
1/2 tasse de sucre en poudre
2 œufs
2 cuil. à soupe de crème anglaise en
    poudre
1 cuil. à soupe de jus de citron
1 cuil. à café de zeste de citron râpé
2 cuil. à soupe de brandy
1/2 tasse de raisins secs

Nappage
300 ml de crème liquide, fouettée
30 g de sucre glace
1/2 cuil. à café de gingembre en poudre
1/2 cuil. à café de cannelle en poudre

1 Beurrer le fond et les côtés les plus longs
d'un moule de 30 x 20 cm et tapisser de
papier sulfurisé. Préchauffer le four à
160 °C. Passer les petits-beurre au mixeur
pendant 20 s. Ajouter le beurre fondu et
la cannelle et bien mélanger. Verser dans
le moule à l'aide d'une cuillère, appuyer
fermement et égaliser le fond. Réfrigérer
pendant la préparation de la garniture.
2 Battre le fromage frais et la crème
fraîche pendant 3 mn. Ajouter le sucre
par petites quantités à la fois et battre
2 mn de plus. Ajouter les œufs, un à un,
en battant 2 à 3 mn, pour bien mélanger.
3 Battre la crème anglaise, le jus de
citron, le zeste de citron et le brandy.
Ajouter les raisins secs. Verser le mélange
par cuillerées dans le moule et lisser. Faire
cuire pendant 30 mn. Laisser refroidir et
réfrigérer pendant au moins 6 h, ou toute
une nuit.
4 Nappage : mélanger la crème, le sucre
et les épices. Avant de servir, verser sur le
gâteau. Ajouter une cuillerée de crème
fraîche sur les parts de gâteau au moment
de servir et saupoudrer d'épices.

Secrets du chef
Conservation : garder le gâteau (non
décoré) au réfrigérateur, jusqu'à trois
jours.

Tapisser le moule beurré avec un papier
sulfurisé.

Passer les petits-beurre au mixeur.

Ajouter le sucre par petites quantités,
en battant à chaque fois.

Ajouter les raisins secs, peu à peu, avant
de verser le mélange dans le moule.

Gâteau des tropiques

Préparation : 50 mn
  + 24 h de réfrigération
Cuisson : aucune
Pour 8 personnes

145 g de petits-beurre
1/4 de tasse de noix de coco râpée
90 g de beurre fondu
125 ml de jus d'orange
6 cuil. à café de gélatine
350 g de fromage frais crémeux
1/3 de tasse de sucre en poudre
2 cuil. à soupe de jus de citron

1 boîte de 425 g de mangues,
  égouttées et coupées en morceaux
1 boîte de 450 g d'ananas en
  morceaux, égouttés
300 ml de crème fraîche épaisse
Crème fraîche fouettée, kiwi et
  quartiers de mangue pour décorer

1 Beurrer un moule à bord amovible de 20 cm de diamètre et tapisser de papier sulfurisé. Passer les biscuits au mixeur pendant 20 s. Ajouter la noix de coco et le beurre. Bien mélanger en continuant à mixer. Verser dans le moule avec une cuillère et bien aplatir avec les doigts. Réfrigérer.
2 Mettre le jus d'orange dans un petit bol et saupoudrer de gélatine. Placer le bol dans un autre bol plus grand, rempli d'eau bouillante. Remuer et laisser dissoudre. Battre le fromage frais et le sucre pendant 3 mn. Ajouter le jus de citron et incorporer délicatement la mangue et l'ananas. Ajouter la gélatine.
3 Fouetter légèrement la crème pour qu'elle soit assez ferme. Incorporer au mélange avec une cuillère en métal. Verser dans le moule, lisser le dessus et réfrigérer toute une nuit. Décorer avec le reste de crème fouettée et les tranches de fruits.

Secrets du chef

Conseil : on peut aussi utiliser des mangues fraîches, mais il faut ajouter 1/2 tasse de sucre en poudre.

Passer les petits-beurre au mixeur et ajouter la noix de coco.

Incorporer délicatement la mangue et l'ananas.

Fouetter légèrement la crème épaisse pour qu'elle soit assez ferme.

Gâteau Jaffa

Préparation : 45 mn
    + 6 h de réfrigération
Cuisson : aucune
Pour 6 à 8 personnes

125 g de petits-beurre
60 g de beurre, fondu
2 cuil. à café de gélatine
250 g de fromage frais crémeux
1/4 de tasse de sucre glace
150 g de chocolat à croquer, fondu
3 cuil. à soupe de pâte à tartiner au
    chocolat et aux noisettes
2 cuil. à café de zeste d'orange râpé

2 cuil. à soupe de Cointreau ou de
    Grand Marnier
300 ml de crème fraîche épaisse,
    fouettée
300 ml de crème fraîche fouettée

1 Beurrer un moule de 20 cm de diamètre et tapisser de papier sulfurisé. Passer les petits-beurre au mixeur pendant 20 s. Ajouter le beurre et bien mélanger. Verser dans le moule à l'aide d'une cuillère, aplatir fermement avec les doigts Réfrigérer pendant la préparation de la garniture.
2 Mettre 60 ml d'eau dans un petit bol. Saupoudrer de gélatine et mettre ce bol dans un bol plus grand, rempli d'eau très chaude. Remuer et laisser

dissoudre. Laisser refroidir. Battre le fromage frais. Ajouter le sucre glace. Ajouter la gélatine, le chocolat, 1 cuil. à soupe 1/2 de pâte à tartiner, le zeste d'orange et la liqueur. Battre pendant 2 ou 3 mn pour bien mélanger et obtenir une pâte homogène.
3 Incorporer la crème fraîche épaisse avec une cuillère en métal. Verser dans le moule avec une cuillère. Réfrigérer pendant au moins 6 h. Ramollir le reste de pâte à tartiner avec un peu de crème et garnir le dessus du gâteau. Décorer avec des copeaux de chocolat.

Secrets du chef
Conservation : couvrir et réfrigérer jusqu'à trois jours. Ne pas congeler.

Saupoudrer la gélatine dans un bol d'eau placé dans un bol d'eau très chaude.

Ajouter le sucre glace au fromage frais et bien battre.

À l'aide d'une cuillère en métal, incorporer délicatement la crème et bien mélanger.

Gâteau au miel et au citron

Préparation : 40 mn
    + 24 h de réfrigération
Cuisson : aucune
Pour 6 à 8 personnes

250 g de biscuits au miel
1 cuil. 1/2 à café d'épices mélangées
125 g de beurre, fondu
375 g de fromage frais crémeux

1 cuil. à soupe de zeste de citron râpé
2 cuil. à café d'essence de vanille
400 g de lait condensé
80 ml de jus de citron

1 Beurrer un moule à bord amovible de 20 cm de diamètre et tapisser de papier sulfurisé. Émietter les biscuits au mixeur. Ajouter les épices et le beurre fondu et mélanger jusqu'à ce les miettes soient bien humides. Verser la moitié des biscuits dans le moule et ajouter le reste contre les parois du moule en appuyant

fermement à l'aide d'un verre. Réfrigérer de 10 à 15 mn.
2 Battre le fromage frais. Ajouter le zeste de citron et l'essence de vanille et battre pour bien mélanger. Ajouter le lait condensé et le jus de citron en continuant à battre. Battre pendant 3 mn pour obtenir un mélange onctueux et pour en augmenter son volume.
3 Verser dans le moule, sur le biscuit et aplatir avec les doigts. Réfrigérer toute une nuit. Décorer avec de la crème chantilly et des tranches de citron confit.

Beurrer le moule et tapisser de papier sulfurisé.

Verser la moitié des biscuits dans le fond du moule, avec une cuillère.

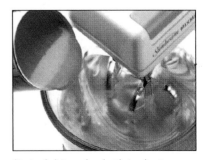

Ajouter le lait condensé et le jus de citron en continuant à battre.

Gâteau Jaffa (en haut) et gâteau au miel et au citron.

Gâteau au potiron

Préparation : 40 mn
  + 6 h de réfrigération
Cuisson : 1 h 40
Pour 8 à 10 personnes

185 g de petits-beurre
90 g de beurre, fondu
600 g de potiron, coupé en cubes
250 g de fromage frais crémeux
500 g de ricotta
160 g de miel
2 cuil. à soupe de Maïzena

1 cuil. à café de noix de muscade moulue, et un peu plus pour saupoudrer
3 œufs, légèrement battus
250 ml de crème liquide, fouettée

1 Beurrer un moule à bord amovible de
23 cm de diamètre et tapisser le fond avec
du papier sulfurisé. Mixer 20 s les biscuits.
Ajouter le beurre et bien mélanger. Verser
dans le moule et aplatir fermement avec
les doigts. Réfrigérer pendant la préparation de la garniture. Préchauffer le four à
150 °C.
2 Faire cuire le potiron au micro-ondes ou
dans de l'eau bouillante. Égoutter, laisser
refroidir et écraser en purée. Battre le fromage frais et la ricotta au batteur électrique
pendant 3 mn, pour obtenir un mélange
onctueux. Ajouter le potiron, le miel, la
Maïzena et 1 cuil. à café de noix de muscade. Battre à nouveau pendant 2 à 3 mn.
3 Ajouter les œufs, une cuillerée à soupe à
la fois, en mélangeant bien. Verser dans le
moule et égaliser. Faire cuire pendant
1 h 1/2, jusqu'à ce que le gâteau soit souple
sous les doigts. Laisser refroidir dans le
moule, garnir de crème fouettée et saupoudrer de noix de muscade.

Secrets du chef
Conservation : couvrir et réfrigérer jusqu'à trois jours, mais ne pas congeler.

Passer le potiron coupé en cubes au four
à micro-ondes, pour l'attendrir.

Ajouter la purée de potiron, le miel, la
Maïzena et la noix de muscade, et battre.

Lisser la surface de la garniture avec le dos
d'une cuillère.

Gâteau
aux fruits de la Passion

Préparation : 30 mn
+ 6 h de réfrigération
Cuisson : aucune
Pour 20 parts de gâteau

250 g de petits-beurre
90 g de beurre
2 cuil. à café de gélatine
250 g de ricotta
250 g de fromage frais crémeux
400 g de lait condensé
2 cuil. à café de zeste de citron râpé

60 ml de jus de citron
180 ml de crème liquide, fouettée
Pulpe de 6 fruits de la Passion
Crème chantilly et pulpe de fruits de
la Passion, pour décorer

1 Beurrer un moule en métal de 30 x 20 cm et le tapisser de papier sulfurisé. Mixer 20 s les biscuits pour bien les émietter. Ajouter le beurre et mixer à nouveau. Verser le mélange par cuillerées dans le moule, en appuyant fermement pour le tasser. Réfrigérer.

2 Mettre 60 ml d'eau dans un petit bol. Saupoudrer la gélatine et mettre dans un plus grand bol rempli d'eau bouillante, remuer et laisser dissoudre. Laisser refroi-

dir légèrement. Battre la ricotta et le fromage frais au batteur électrique pendant 3 mn, pour la ramollir et obtenir une consistance onctueuse. Ajouter le lait condensé, le zeste de citron et continuer à battre pendant 2 à 3 mn.

3 Ajouter la crème, la gélatine et la pulpe de fruit de la Passion. Verser dans le moule et lisser la surface. Réfrigérer pendant 6 h pour laisser prendre. Couper en carrés et démouler. Décorer avec un peu de pulpe de fruits de la Passion et de crème chantilly.

Secrets du chef

Conservation : recouvrir et garder jusqu'à trois jours au réfrigérateur. Ne pas congeler.

Avec une cuillère, aplatir les biscuits émiettés dans le fond du moule tapissé de papier sulfurisé.

Verser la gélatine en pluie, progressivement, en la laissant ramollir entre chaque cuillerée.

Ajouter la crème, la gélatine et la pulpe des fruits de la Passion avec une cuillère en métal.

Gâteau aux raisins secs

Préparation : 1 h
Cuisson : 45 mn
Pour 8 à 10 personnes

1 tasse 1/2 de farine
2 cuil. à soupe de sucre glace
1/2 tasse de crème anglaise en poudre
1/2 cuil. à café de levure chimique
125 g de beurre, coupé en morceaux
2 à 3 cuil. à soupe de lait

Garniture

250 g de fromage frais crémeux allégé
250 g de fromage frais crémeux

50 g de beurre
1/4 de tasse de sucre en poudre
2 œufs
1 cuil. à soupe de jus de citron
2 cuil. à café de zeste de citron râpé
3/4 de tasse de raisins secs

1 Préchauffer le four à 180 °C. Beurrer un moule de 28 x 18 cm et tapisser de papier sulfurisé. Tamiser ensemble la farine, le sucre, la crème anglaise en poudre et la levure chimique dans un récipient. Ajouter le beurre et travailler du bout des doigts pour obtenir une texture sablée. Ajouter un peu de lait pour faire une pâte molle.
2 Étaler les deux tiers de la pâte entre 2 feuilles de papier sulfurisé pour faire un rectangle assez large pour recouvrir le fond et les bords du moule. Égaliser les bords de la pâte et piquer le fond avec une fourchette. Faire cuire 10 mn au four. Laisser refroidir un peu.
3 Garniture : battre ensemble les fromages frais, le beurre et le sucre pour obtenir un mélange onctueux. Ajouter les œufs, le jus de citron et le zeste. Bien mélanger. Ajouter les raisins secs. Verser dans le moule. Étaler le reste de la pâte en un long rectangle et couper de fines lamelles, en longueur. Superposer ces lamelles en forme de treillis sur le gâteau, appuyer légèrement sur les bords de la pâte et égaliser. Faire cuire de 30 à 35 mn au four, jusqu'à ce que le gâteau soit pris, mais pas doré. Laisser refroidir et couper en carrés.

Travailler le mélange du bout des doigts pour obtenir une texture sablée.

Égaliser les bords de la pâte avec un couteau bien aiguisé.

Étaler les lamelles de pâte en forme de treillis sur le gâteau.

Gâteau au chocolat et aux amandes

Préparation : 20 mn
    + une nuit de réfrigération
Cuisson : 1 h 25
Pour 8 à 10 personnes

125 g de biscuits au chocolat
1/4 de tasse d'amandes hachées
90 g de beurre, fondu
1 cuil. à soupe de cassonade

Garniture

500 g de fromage frais crémeux,
    à température ambiante
1/2 tasse de cassonade
125 g de chocolat à croquer, fondu
125 ml de crème fraîche épaisse
2 œufs, battus
1 cuil. à café de zeste d'orange râpé

1 Beurrer un moule à bord amovible de 20 cm de diamètre et tapisser le fond de papier sulfurisé. Passer les biscuits au mixeur avec les amandes pour les émietter. Ajouter le beurre et le sucre et continuer à mixer. Étaler dans le moule en aplatissant fermement avec les doigts et réfrigérer pour affirmir. Préchauffer le four à 160 °C.

2 Garniture : battre en crème le fromage frais et le sucre. Ajouter le chocolat fondu, refroidi, les œufs et le zeste d'orange et mélanger pour obtenir un mélange onctueux. Verser la garniture sur la pâte et lisser la surface. Faire cuire au four pendant 1 h 20 ou jusqu'à ce que la garniture soit ferme.

3 Laisser le gâteau refroidir dans le moule et le laisser au réfrigérateur pendant une nuit. Décorer avec de la crème chantilly, des framboises fraîches et des copeaux de chocolat.

Secrets du chef

Note : la garniture peut être préparée dans un mixeur. Le chocolat fondu doit être à la même température que le reste des ingrédients car on obtiendrait un mélange grumeleux. Ajouter 1 à 2 cuillerées à soupe de Grand Marnier pour les repas de fêtes et servir avec de la crème chantilly et des oranges caramélisées.

Beurrer le moule et tapisser le fond avec du papier sulfurisé.

Ajouter le beurre et le sucre au mélange de biscuits et d'amandes émiettés.

Mixer le chocolat, la crème, le zeste d'orange et les œufs avec le mélange.

Gâteaux
au fromage frais

Recette de base

Fond : beurrer un moule à bord amovible de 20 cm de diamètre et tapisser la base avec du papier sulfurisé. Émietter 250 g de biscuits et ajouter 1 cuil. à café de mélange d'épices et 100 g de beurre fondu. Bien mélanger. Verser dans le moule en appuyant fermement sur le fond et les côtés. Réfrigérer pendant 20 mn, pour l'affermir.

Garniture : faire préchauffer le four à 180 °C. Battre 500 g de fromage frais crémeux avec le batteur électrique pour obtenir une consistance onctueuse. Ajouter 2/3 de tasse de sucre en poudre, 1 cuil. à café d'essence de vanille et 1 cuil. à soupe de jus de citron et battre en crème. Ajouter 4 œufs, un à la fois, en continuant à battre. Verser sur la pâte et faire cuire de 45 à 50 mn au four, jusqu'à ce que le dessus du gâteau soit ferme.

Nappage : mélanger 250 ml de crème fraîche, 1/2 cuil. à café d'essence de vanille, 3 cuil. à soupe de jus de citron et 1/2 cuil. à café de sucre en poudre dans un bol. Étaler sur le gâteau encore bien chaud. Saupoudrer de noix de muscade moulue et remettre au four pendant 7 mn. Laisser refroidir et réfrigérer pour affermir. Pour 8 à 10 personnes.

Le gâteau au fromage frais doit être moelleux au centre et peut être servi sans crème fouettée. Dans ce cas, il faut le faire cuire de 5 à 10 mn de plus. Selon les occasions, ce gâteau de base peut être décoré de diverses manières.

Golden Mango

Faire chauffer 30 g de beurre, 1/4 de tasse de cassonade, 2 cuil. à soupe de confiture d'abricots et 1 cuil. à soupe de Grand Marnier dans une grande casserole à revêtement anti-adhésif. Remuer à feu doux jusqu'à ce que le sucre soit dissous. Ajouter 2 grosses mangues épluchées et coupées en fines tranches et laisser mijoter doucement 3 à 4 mn, sans trop les ramollir. Laisser refroidir complètement, puis disposer les tranches de mangues sur le dessus du gâteau non démoulé. Faire réduire le sirop en le laissant mijoter pendant 2 à 3 mn et arroser les mangues sur le gâteau. Laisser refroidir pendant une heure dans le moule.

Gâteau aux fraises et à la chantilly

Fouetter 300 ml de crème liquide en chantilly et démouler le gâteau au fromage frais, bien réfrigéré. Décorer avec des cuillerées de crème fouettée et des moitiés de fraises ou des fraises entières. Ajouter des cuillerées de pulpe de 2 fruits de la Passion ou saupoudrer simplement de sucre glace.

De haut en bas : gâteau au fromage frais ; Golden Mango ; gâteau aux fraises et à la chantilly ; gâteau au caramel.

Gâteau au caramel

Mettre 60 g de beurre, 1/4 de tasse de cassonade, 125 ml de lait condensé et 125 ml de crème liquide dans une casserole et remuer à feu doux jusqu'à ce que le beurre fonde et que le sucre soit dissous. Porter à ébullition et continuer à feu doux de 5 à 10 mn, sans cesser de remuer pour que le caramel n'attache pas au fond de la casserole. Enlever du feu, laisser refroidir complètement et napper le gâteau en le laissant dans le moule. Réfrigérer dans le moule pendant 1 h, environ, pour laisser prendre.

Gâteau au chocolat

Ajouter 1/3 de tasse de pépites de chocolat noir dans la garniture du gâteau avant de le faire cuire. Laisser refroidir avant de mettre la crème fraîche. Mettre 200 g de chocolat noir haché et 80 ml de crème fraîche dans une casserole et fouetter à feu doux jusqu'à ce que le chocolat soit fondu et que le mélange soit onctueux. Laisser refroidir légèrement puis napper le gâteau sans le démouler. Réfrigérer pour laisser prendre, démouler et décorer avec des copeaux de chocolat blanc et de chocolat noir.

Gâteau aux cerises

Égoutter une grosse boîte de cerises dénoyautées et les poser sur un essuie-tout pour en absorber le jus. Disposer les cerises sur le gâteau au fromage frais non démoulé. Mettre 160 ml de confiture de mûres passée au tamis et 2 à 3 cuil. à soupe de kirsch dans une petite casserole et faire chauffer à feu doux pendant 2 à 3 mn, jusqu'à ce qu'elle soit onctueuse et que le jus soit légèrement réduit. Laisser refroidir, puis en recouvrir abondamment les cerises. Selon la consistance des confitures, celles-ci s'épaississent en plus ou moins de temps. Laisser bien prendre avant de démouler.

Gâteau à la marmelade de myrtilles

Mélanger 125 ml d'eau, 1 tasse de sucre en poudre et 2 cuillerées à soupe de jus de citron ou de citron vert dans une casserole et remuer à feu doux sans faire bouillir, jusqu'à dissolution du sucre. Ajouter 400 g de myrtilles et 4 bâtons de cannelle. Faire bouillir et continuer à feu doux pendant 15 mn pour épaissir. Laisser refroidir et verser sur les parts de gâteau.

Tutti Frutti

Disposer des tranches de kiwi, des moitiés de fraises, des myrtilles entières, de fines tranches de mangues et des moitiés de grains de raisin noir et de raisin blanc, sur le gâteau. Faire chauffer une boîte de salade de fruits bien égouttés dans une petite casserole et ajouter 2 à 3 cuil. à café de brandy. Faire mijoter pendant 1 à 2 mn et laisser prendre. Servir immédiatement avant que le jus de fruit ne coule et décolore le gâteau.

De haut en bas : gâteau au chocolat ; gâteau aux cerises ; gâteau à la marmelade de myrtilles ; Tutti Frutti.

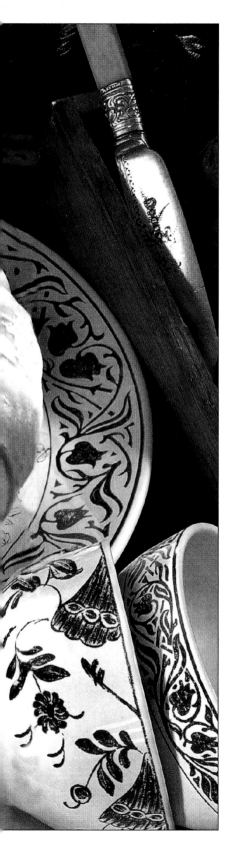

Pavlovas

Pavlova aux fruits frais

Préparation : 30 mn
Cuisson : 40 à 45 mn
Pour 6 à 8 personnes

4 blancs d'œufs
1 tasse de sucre en poudre
375 ml de crème liquide, fouettée
1 banane, coupée en tranches
250 g fraises, coupées en tranches
2 kiwis, coupés en tranches
Pulpe de 2 fruits de la Passion

● Préchauffer le four à 150 °C. Tapisser une plaque de papier sulfurisé et dessiner un cercle de 20 cm de diamètre sur le papier.
1 Battre les blancs d'œufs en neige ferme avec le batteur électrique, dans un grand bol. Ajouter peu à peu le sucre, en continuant à battre, pendant 5 à 10 mn, jusqu'à ce que le sucre soit complètement dissous.
2 Étaler les blancs en neige sur la plaque, à l'intérieur du cercle. À l'aide d'une spatule, égaliser en sculptant des sillons verticaux tout autour du bord. Ce motif contribue à consolider la meringue tout en lui donnant un aspect décoratif.
3 Faire cuire 30 mn au four, jusqu'à ce que la meringue soit claire et croustillante. Réduire le feu à 120 °C et faire cuire 10 à 15 mn. Éteindre le four et laisser la meringue refroidir à l'intérieur. Laisser la porte du four entrouverte en la coinçant avec une cuillère en bois. Décorer avec de la crème fouettée et disposer les fruits dessus. Arroser de pulpe de fruits de la Passion.

Secrets du chef
Conservation : le pavlova doit être consommé le jour même de sa préparation. Il doit être garni juste avant de servir.

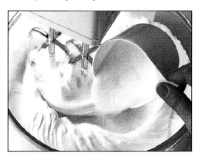

Ajouter le sucre peu à peu, en continuant à battre.

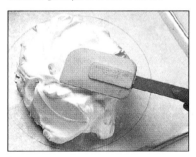

Étaler les blancs en neige à l'intérieur du cercle.

À l'aide d'une spatule, égaliser les bords en formant des sillons.

Repasser la spatule sur les sillons pour les lisser.

Petits nids de fruits rouges

Préparation : 30 mn
    + refroidissement
Cuisson : 1 h 15
Pour 12 petits nids

4 blancs d'œufs
1 petite pincée de levure chimique
250 g de sucre en poudre
300 ml de crème fraîche épaisse

2 cuil. à café de sucre glace
1 cuil. à soupe de brandy
Fruits rouges mélangés

1 Tapisser une plaque de papier sulfurisé et préchauffer le four à 150 °C. Battre les blancs en neige avec la levure et lorsque des becs se forment, ajouter le sucre. Battre pour obtenir un mélange ferme et brillant.
2 Remplir une poche munie d'une douille cannelée de blancs en neige et faire des spirales de 8 cm de diamètre sur la plaque préparée. Faire un bord pour représenter la forme d'un nid.
3 Faire cuire 30 mn au four. Réduire à 120 °C et continuer la cuisson pendant 45 mn. Éteindre le four et laisser les petits nids refroidir en entrouvrant la porte. Fouetter la crème avec le sucre glace et le brandy. Remplir les petits nids et décorer avec les fruits rouges de votre choix.

Secrets du chef

Note : les nids de meringue sont aussi très appréciés lorsqu'ils sont servis avec un coulis de fruits rouges sucré au sucre glace.

Battre les blancs en neige dans un bol, jusqu'à ce que des becs se forment au bout des fouets.

À l'aide d'une poche à douille faire des spirales pour former des petits nids.

Garnir les nids de meringues de crème fouettée au brandy et ajouter quelques fruits rouges.

Roulé au coulis de framboises

Préparation : 30 mn
Cuisson : 12 mn
Pour 8 à 10 personnes

4 blancs d'œufs
250 g de sucre en poudre
1 cuil. à café de Maïzena
2 cuil. à café de jus de citron ou de
    vinaigre
180 ml de crème liquide, fouettée
1/4 de tasse de fruits rouges frais,
    coupés en morceaux

Coulis de framboises
2 cuil. à soupe de brandy
250 g de framboises fraîches
1 cuil. à soupe de sucre glace

1 Beurrer un moule à génoise de 25 x 30 cm et le tapisser de papier sulfurisé. Préchauffer le four à 180 °C. Battre les œufs en neige ferme. Ajouter graduellement 1/2 tasse plus 2 cuil. à soupe de sucre et battre jusqu'à l'obtention d'un mélange brillant et épais. Mélanger 1 cuil. à soupe de sucre et la Maïzena. Incorporer dans les blancs d'œufs avec le jus de citron ou le vinaigre. Verser dans le moule et lisser la surface. Cuire 12 mn au four.
2 Poser une grande feuille de papier sulfurisé sur un torchon, sur une surface de tra-vail et saupoudrer avec le reste de sucre. Démouler la meringue sur le sucre, et enlever le papier sulfurisé délicatement. Laisser 2 mn. Rouler à partir du plus grand côté, avec le torchon et laisser refroidir. Mettre les fruits rouges dans la crème.
3 Dérouler la meringue, étaler la crème et enrouler à nouveau sans le torchon ni le papier sulfurisé. Disposer sur une assiette et servir, en tranches arrosées du coulis de framboises.
4 **Coulis de framboises :** mettre le brandy, les framboises et le sucre glace dans un mixeur et bien mélanger.

Secrets du chef
Variante : on peut remplacer le coulis par une compote de fruit.

Beurrer le moule avant de le tapisser de papier sulfurisé, pour que le papier reste bien en place.

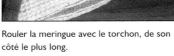

Rouler la meringue avec le torchon, de son côté le plus long.

Mettre les framboises dans le mixeur avec le brandy et le sucre.

Meringue glacée
à la nougatine

Préparation : 1 h
    + congélation
Cuisson : 1 h 10
Pour 8 à 10 personnes

4 blancs d'œufs
1 tasse 1/2 de sucre en poudre
100 g d'amandes mondées
2 l de glace à la vanille, ramollie

Coulis de fraises
500 g de fraises fraîches
2 cuil. à soupe de jus de citron
1/4 de tasse de sucre glace

1 Préchauffer le four à 150 °C et tapisser 2 plaques de papier sulfurisé. À l'aide d'un moule de 20 cm de diamètre, dessiner 2 cercles sur le papier. Huiler et saupoudrer d'un peu de sucre en poudre. Battre les blancs d'œufs en neige ferme et ajouter peu à peu 1 tasse de sucre. Battre le mélange jusqu'à ce qu'il soit épais et brillant et que le sucre soit dissous. Verser dans une poche à douille et faire une spirale sur chaque cercle. Faire cuire environ 1 h au four et laisser refroidir.

2 Pour préparer la nougatine, tapisser une plaque de papier sulfurisé et disposer les amandes dessus. Faire chauffer le reste du sucre (1/2 tasse) dans 80 ml d'eau et remuer à feu doux jusqu'à dissolution. Porter à ébullition sans remuer et, lorsque le sucre est doré, verser sur les amandes. Laisser prendre et bien refroidir avant de passer au mixeur.

3 Mixer ou battre la glace en crème et ajouter la nougatine. Mettre une des meringues dans un moule à bord amovible de 22 cm de diamètre, napper de glace et poser dessus la seconde meringue.

Laisser au congélateur jusqu'au moment de servir et arroser de coulis de fraises.

4 Coulis de fraises : mixer tous les ingrédients au mixeur. Ajouter un peu d'eau si la préparation est trop épaisse.

Secrets du chef

Conservation : on peut conserver ce gâteau jusqu'à 4 jours dans le congélateur. **Note :** cuire lentement les meringues pour qu'elles soient bien croustillantes.

À l'aide d'une poche à douille, faire 2 spirales sur des plaques tapissées de papier sulfurisé.

Lorsque le sirop prend une couleur dorée, le verser sur les amandes.

Napper la première meringue de glace.

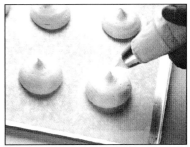

Faire des petits tas de 5 cm de diamètre sur la plaque préparée.

Incorporer les amandes moulues avec une fourchette ou une spatule.

Ajouter délicatement les fraises en tranches à la crème parfumée à la liqueur.

Recouvrir une meringue de crème aux fraises et recouvrir avec la deuxième meringue.

Pavlova aux fraises

Préparation : 1 h 30
     + refroidissement
Cuisson : 2 h 10
Pour 8 personnes

8 blancs d'œufs
500 g de sucre en poudre
1 cuil. à soupe de Maïzena
100 g d'amandes en poudre

Crème aux fraises
500 g de fraises fraîches
375 ml de crème fraîche épaisse
2 cuil. à soupe de liqueur de fraises
Sucre glace, pour saupoudrer

1 Tapisser une plaque de papier sulfurisé et préchauffer le four à 140 °C. Battre 2 blancs d'œufs en neige ferme. Ajouter 125 g de sucre, en continuant à battre. Battre 5 mn jusqu'à ce que le mélange soit ferme et brillant. À l'aide d'une poche munie d'une douille large à bords lisses, faire des petits tas de 5 cm de diamètre, sur la plaque. Faire cuire 40 mn. Éteindre le four et laisser les meringues refroidir sans les sortir.

2 Tapisser 2 plaques de papier sulfurisé. Dessiner un cercle de 25 cm de diamètre sur chacune. Battre le reste des blancs d'œufs en neige ferme. Ajouter le reste du sucre graduellement, en continuant à battre jusqu'à l'obtention d'un mélange brillant et ferme. Ajouter la Maïzena, puis couvrir les cercles de ce mélange avec une poche munie d'une douille. Avec une fourchette, incorporer les amandes moulues et faire cuire 1 h 30 au four, à 150 °C. Laisser refroidir dans le four.

3 **Crème aux fraises :** enlever la queue des fraises et les couper en tranches. Battre la crème en chantilly et ajouter la liqueur graduellement, en continuant à battre. Incorporer délicatement les fraises en tranches.

4 Étaler de la crème avec les fraises sur une des meringues et la recouvrir avec la deuxième meringue. Disposer les petites meringues sur le dessus, avec un peu de crème. Verser le reste de crème au centre et garnir de fraises. Saupoudrer de sucre glace.

Secrets du chef

Conservation : les petites meringues peuvent se conserver jusqu'à 2 jours au réfrigérateur. Faire les grosses meringues le jour même où elles seront consommées.

La crème peut se conserver au réfrigérateur pendant plusieurs heures mais lorsque le gâteau est assemblé, on doit le servir moins d'1 h après sa préparation.

Pavlova moelleux

Préparation : 40 mn
Cuisson : 50 à 55 mn
Pour 4 à 6 personnes

5 blancs d'œufs
1 tasse de sucre
2 cuil. à café de vinaigre d'alcool
2 cuil. à café de Maïzena
1 petite pincée de levure
    chimique
300 ml de crème liquide

Cerises, poires, nectarines ou autres
fruits frais, pour décorer

1 Préchauffer le four à 150 °C et beurrer un moule à bord amovible de 20 cm de diamètre. Tapisser le fond et les côtés de papier sulfurisé en dépassant des bords de 3 cm. Huiler le papier et saupoudrer de Maïzena, et enlever l'excédent.
2 Battre au fouet électrique les blancs d'œufs en neige ferme dans un bol. Ajouter le sucre peu à peu en continuant à battre, pour obtenir un mélange brillant et épais, jusqu'à la dissolution du sucre. Ajouter le vinaigre, la Maïzena et la levure chimique.

Verser dans le moule à l'aide d'une cuillère et lisser la surface. Faire cuire de 50 à 55 mn au four, jusqu'à ce que la meringue soit bien levée et dorée. Éteindre le four, mais laisser la meringue refroidir à l'intérieur.
3 Fouetter la crème jusqu'à ce que des becs se forment au bout des fouets et l'étaler sur le pavlova. Disposer des tranches de fruits sur le dessus et servir immédiatement.

Secrets du chef

Note : il est préférable de le consommer le jour même. Ajouter les fruits et la crème juste avant de servir pour qu'il ne se ramollisse pas.

Beurrer légèrement le moule avant de le tapisser de papier, car celui-ci tient mieux en place.

Ajouter la Maïzena, le vinaigre et la levure dans les blancs en neige, en continuant à battre.

Battre la crème jusqu'à ce que des becs se forment au bout du fouet et napper le pavlova.

Tour de Babel au chocolat

Préparation : 1 à 2 h
  + laisser refroidir
Cuisson : environ 1 h
Pour 8 à 10 personnes

8 blancs d'œufs
1 tasse 1/3 de sucre en poudre
1/2 cuil. à café d'essence de vanille
1/4 de tasse de farine tamisée
250 g d'amandes moulues
300 g de chocolat noir, fondu
625 ml de crème liquide, fouettée
300 g de chocolat au lait, fondu
50 g de chocolat noir, pour décorer
50 g chocolat au lait, pour décorer

1 Préchauffer le four à 120 °C. Battre les blancs d'œufs en neige ferme. Ajouter 2/3 de tasse de sucre peu à peu, en continuant à battre jusqu'à ce que le mélange soit brillant et épais. Ajouter l'essence de vanille. Mélanger le reste du sucre, la farine et les amandes en poudre dans un bol et ajouter aux blancs en neige.

2 Dessiner 4 cercles de 20 cm de diamètre sur des morceaux de papier sulfurisé et les poser sur des plaques. Faire des tas de meringue de même quantité, dans chaque cercle. Faire cuire 1 h au four. Laisser refroidir et enlever le papier.

3 Napper le dessus d'une meringue d'1/4 du chocolat noir fondu et d'1/4 de crème fouettée. Napper le dessous des trois autres meringues de chocolat au lait fondu. Poser une des meringues sur la première et napper le dessus avec du chocolat noir et de la crème. Poser une troisième meringue de la même façon et napper le dessus de chocolat noir. Continuer avec la quatrième meringue pour terminer l'assemblage du gâteau. Décorer avec de la crème fraîche et des filaments en chocolat.

Incorporer le mélange de sucre, de farine et d'amandes aux blancs en neige.

Napper le dessous des trois meringues de chocolat au lait fondu.

Assembler les meringues avec une couche de chocolat noir et de crème au milieu.

Pavlova Forêt-Noire

Préparation : 1 h
+ trempage
Cuisson : 1 h 10
+ refroidissement
Pour 8 à 10 personnes

2 tasses de cerises morello
    dénoyautées, égouttées
60 ml de kirsch
2 bâtons de cannelle
6 clous de girofle
Un peu de Maïzena, pour saupoudrer
6 blancs d'œufs
375 g de sucre en poudre
2 cuil. à soupe de cacao en poudre
450 g de chocolat noir, haché
560 ml de crème liquide ou épaisse
Cerises fraîches, pour garnir

1 Mettre les cerises, le kirsch, la cannelle et les clous de girofle dans un bol, couvrir d'un film alimentaire et laisser tremper pendant plusieurs heures ou une nuit.

2 Préchauffer le four à 150 °C et tapisser 3 plaques de papier sulfurisé. Dessiner un cercle de 20 cm de diamètre sur chaque plaque et saupoudrer légèrement de Maïzena. Battre les œufs en neige ferme avec le batteur électrique. Ajouter le sucre en continuant à battre, jusqu'à l'obtention d'un mélange brillant et épais, et la dissolution complète du sucre. Ajouter le cacao.

3 Étaler le mélange sur les cercles. Faire cuire 1 h, jusqu'à ce que la meringue soit croustillante. Éteindre le four et laisser les meringues se refroidir à l'intérieur.

4 Mettre 200 g de chocolat et 60 ml de crème dans un petit bol et faire chauffer au bain-marie. Remuer jusqu'à ce que le chocolat soit fondu et que le mélange

soit onctueux. Laisser refroidir légèrement avant de l'étaler sur les meringues, jusqu'au bord des trois disques.

5 Battre le reste de crème jusqu'à ce qu'elle laisse des becs au bout des fouets. En étaler un tiers sur une des meringues. Ajouter la moitié des cerises égouttées. Poser un deuxième disque de meringue dessus. Étaler la moitié de la crème restante et le reste des cerises. Poser la dernière meringue et étaler le reste de la crème.

6 Faire fondre le reste de chocolat et l'étaler en fine couche sur une surface froide (en marbre, par exemple). À l'aide d'une lame de couteau aiguisé, tenue à 45°, racler des copeaux de chocolat vers l'extérieur. Si le chocolat est cassant, le faire refondre. Décorer le pavlova avec des cerises et des copeaux de chocolat.

Secrets du chef

Conservation : les disques de meringue peuvent être préparés la veille et être conservés dans un récipient hermétique. Mais on ne peut pas assembler le gâteau très longtemps avant de le servir. Les cerises peuvent tremper quelques jours en les conservant dans le réfrigérateur, dans un bol couvert d'un film alimentaire. Leur saveur est meilleure lorsqu'elles ont trempé plus longtemps. Les copeaux de chocolat peuvent se conserver au réfrigérateur entre deux feuilles de papier sulfurisé, jusqu'à deux semaines. S'ils sont congelés, ils peuvent se garder jusqu'à 6 mois.

Variante : les cerises fraîches, dénoyautées peuvent remplacer les cerises en boîte. Ajouter 2 cuil. à soupe d'eau et 1 cuil. à soupe de sucre en poudre dans le mélange au kirsch et à la cannelle et faire mijoter à feu doux pendant 5 mn au lieu de les faire macérer. Laisser refroidir et égoutter avant de les utiliser.

Mettre les cerises, le kirsch, les bâtonnets de cannelle et les clous de girofle dans un bol.

Dessiner des cercles de 20 cm de diamètre sur le papier sulfurisé qui recouvre les plaques.

Étaler le mélange aux blancs d'œufs en neige dans les cercles, en lissant la surface.

Mettre le chocolat et la crème dans un petit bol et faire fondre au bain-marie.

Napper un disque de meringue de crème fouettée et disposer les cerises dessus.

Faire des copeaux de chocolat avec un couteau bien aiguisé.

Dacquoise aux abricots

Préparation : 1 h + réfrigération
Cuisson : 1 h
Pour 6 à 8 personnes

1 tasse d'amandes effilées
4 blancs d'œufs
1 pincée de levure chimique
1 tasse de sucre en poudre
1 à 2 cuil. à soupe de sucre en poudre
200 g d'abricots secs
1 cuil. à café de jus de citron
100 g de chocolat blanc
300 ml de crème fraîche épaisse
1 cuil. à soupe de sucre glace
1 cuil. à café d'essence de vanille

1 Préchauffer le four à 160 °C. Disposer les amandes sur une plaque et les faire dorer 8 mn. Laisser refroidir. Tapisser 2 plaques de papier sulfurisé. Dessiner un cercle de 18 cm de diamètre au milieu des deux plaques. Mettre les blancs d'œufs et la levure chimique dans un bol et battre en neige ferme. Ajouter le sucre en poudre en battant vigoureusement pour obtenir une mousse brillante et épaisse. Incorporer les amandes grillées et répandre le mélange dans les cercles sur les plaques. Faire cuire 40 mn au four, jusqu'à ce que les meringues soient croustillantes. Éteindre le four et laisser la porte entrouverte pendant que les meringues refroidissent.

2 Mettre les abricots dans une casserole et les recouvrir d'eau chaude. Laisser tremper pendant au moins 1 h. Faire mijoter 10 mn. Égoutter et laisser refroidir. Passer au mixeur, ajouter 1 à 2 cuillerées à soupe de sucre en poudre et du jus de citron. Faire fondre le chocolat au bain-marie. Étaler le chocolat en fine couche sur une planche lisse et bien plane. Lorsqu'il a pris, le racler avec une lame de couteau très aiguisée

pour faire des copeaux.

3 Battre la crème, le sucre glace et l'essence de vanille pour obtenir une texture légère et que des becs se forment au bout des fouets. Incorporer la compote d'abricots, en laissant des traînées de couleurs dans la crème. Enlever délicatement le papier des meringues. En retourner une sur une assiette et napper de la moitié de la crème. Recouvrir de l'autre meringue et napper

avec le reste de crème. Réfrigérer 1 h avant de servir. Décorer avec les copeaux de chocolat et saupoudrer de sucre glace.

Secrets du chef
Conservation : les meringues peuvent être préparées plusieurs heures à l'avance. Lorsqu'elles sont garnies de crème, elles sont plus faciles à couper car elles se ramollissent légèrement.

Répandre le mélange dans les deux cercles dessinés sur le papier sulfurisé.

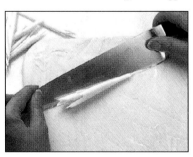

Avec un couteau bien aiguisé, racler la surface plane pour faire des copeaux en chocolat.

Incorporer délicatement la compote d'abricots en laissant des traînées colorées dans la crème.

Saupoudrer les blancs en neige d'amandes effilées.

Démouler la meringue sur du papier sulfurisé saupoudré de sucre et de cannelle.

Incorporer délicatement les fraises coupées en morceaux avec une cuillère en métal.

Rouler la meringue en long, à l'aide du papier sulfurisé.

Meringue roulée aux fraises et aux fruits de la Passion

Préparation : 40 mn
Cuisson : 10 mn
Pour 6 à 8 personnes

4 blancs d'œufs
3/4 de tasse de sucre en poudre
1/3 de tasse d'amandes effilées
1 cuil. à café de cannelle en poudre

Garniture
250 g de fraises fraîches
250 ml de crème épaisse, réfrigérée
60 ml de liqueur de fraise
Pulpe de 2 fruits de la Passion

1 Préchauffer le four à 180 °C. Beurrer légèrement un moule à génoise de 30 x 25 cm et le tapisser de papier sulfurisé. Beurrer légèrement le papier sulfurisé. Battre les œufs en neige ferme dans un grand bol, avec un batteur électrique. Incorporer le sucre peu à peu, en continuant à battre. Garder 1 cuillerée à soupe de sucre et battre pendant 5 mn.

Étaler ce mélange dans le moule et égaliser. Disposer quelques amandes effilées sur le dessus.
2 Faire cuire 10 mn au four, ou jusqu'à ce que la meringue soit ferme. Saupoudrer de sucre et de cannelle une feuille de papier sulfurisé. Retourner la meringue sur ce mélange. Enlever le papier sulfurisé au dos de la meringue et laisser refroidir 2 mn.
3 Garniture : garder quelques fraises entières pour la décoration. Hacher finement le reste, mais sans faire une compote. Battre la crème en chantilly et ajouter la liqueur peu à peu. Étaler les fraises hachées sur la meringue encore tiède. Ajouter la pulpe des fruits de la Passion sur la crème.
4 Utiliser le papier sulfurisé pour rouler la meringue sur son côté le plus long, en plaçant la lisière sous la bûche. Recouvrir de film alimentaire et réfrigérer. Égaliser les bouts du roulé avec un couteau bien aiguisé, avant de servir.

Secrets du chef
Note : la meringue doit être encore tiède pour pouvoir la rouler, sinon elle risque de craquer. Servir dans les 3 ou 4 h qui suivent sa préparation car elle pourrait, au contraire, être détrempée par le jus de fraises. Il est impossible de congeler ce gâteau. Il est délicieux servi avec un coulis de fraises.

Meringues

Des petites meringues croustillantes accompagnent agréablement les mousses et les crèmes anglaises onctueuses. Elles sont simples et rapides à préparer. À l'aide d'une poche à douille, vous réaliserez toutes sortes de jolies formes à présenter avec le café.

Recette classique de la meringue

Préchauffer le four à 150 °C. Battre 2 blancs d'œufs en neige bien ferme avec un batteur électrique. Ajouter graduellement 1/2 tasse de sucre en poudre en continuant à battre jusqu'à ce qu'il soit dissous et pour obtenir un mélange épais et brillant. Verser ce mélange dans une poche munie d'une douille et disposer des petits tas sur des plaques tapissées de papier sulfurisé. Faire cuire au four 20 à 25 mn. Éteindre le four, entrouvrir la porte et laisser refroidir.   *Pour environ 30 meringues*

Bâtonnets de meringue au chocolat

Suivre la recette classique de la meringue. Lorsque le mélange est épais et brillant, ajouter 1 cuil. à soupe de cacao en poudre tamisé. Verser dans une poche munie d'une douille cannelée. Déposer des petits bâtonnets de 8 cm de long sur les plaques tapissées de papier sulfurisé, en les séparant bien. Faire cuire comme il est indiqué ci-dessus. Lorsqu'elles sont prêtes, verser un filet de chocolat fondu ou saupoudrer de cacao en poudre mélangé avec un peu de sucre glace.   *Pour environ 40 bâtonnets*

Petites spirales à la crème anglaise

Suivre la recette classique de la meringue. Lorsque le mélange est épais et brillant, ajouter 1 cuil. à soupe de crème anglaise en poudre en continuant à battre et verser dans une poche munie d'une douille lisse de 5 mm à 1 cm de diamètre. Répartir des petits disques en spirales sur les plaques. Faire cuire comme indiqué ci-dessus. Lorsqu'ils sont prêts, saupoudrer de sucre glace ou arroser d'un filet de chocolat fondu.   *Pour environ 40 petites spirales*

Étoiles au café

Suivre la recette classique de la meringue. Lorsque le mélange est épais, ajouter 2 à 3 cuil. à café de café instantané en poudre. Verser dans une poche munie d'une douille cannelée et disposer les étoiles sur les plaques. Faire cuire comme indiqué précédemment. Faire adhérer ces petites formes 2 par 2 à l'aide de 60 g de chocolat blanc ou noir fondu, ou servir sans le chocolat.   *Pour environ 30 étoiles*

Escargots aux noisettes

Suivre la recette classique de la meringue. Lorsque le mélange est épais, ajouter 2 à 3 cuil. à soupe de noisettes pilées en continuant à battre et verser dans une poche munie d'une douille lisse de 1 cm de diamètre. Répartirs de petits zigzags en longueur sur les plaques et faire cuire au four comme indiqué précédemment. Saupoudrer d'un mélange de sucre glace et de cannelle en poudre ou arroser d'un filet de chocolat fondu.   *Pour 30 escargots*

Nids en meringue

Suivre la recette classique de la meringue pour obtenir un mélange épais. Verser dans une poche munie d'une douille cannelée et disposer les nids sur les plaques. Faire cuire comme indiqué précédemment. Remplir de crème fouettée parfumée à la liqueur de café ou de chocolat et disposer un petit grain de café enrobé de chocolat sur le dessus ou bien remplir le centre d'un mélange de truffe au chocolat et garnir avec une petite tranche de fraise.   *Pour environ 40 nids*

À partir du haut à gauche : meringues, étoiles au café, escargots aux noisettes, nids en meringue, petites spirales à la crème anglaise, bâtonnets de meringue au chocolat.

Petits fours

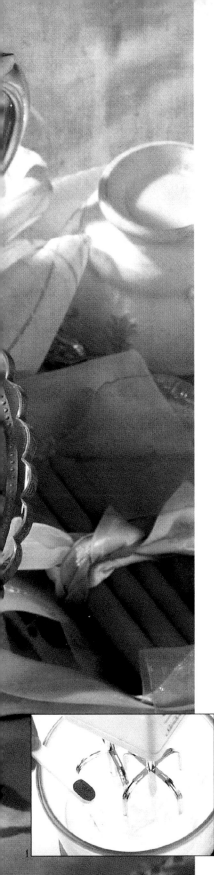

Meringues au chocolat

Préparation : 20 mn
Cuisson : 40 mn
Pour 25 meringues

2 blancs d'œufs
125 g de sucre en poudre
1/4 de cuil. à café de cannelle moulue

Garniture
125 g de chocolat noir
90 g de crème fraîche épaisse

● Préchauffer le four à 150 °C (au gaz th. 2). Tapisser deux plaques de papier sulfurisé.

1 Avec un batteur électrique, battre les blancs d'œufs en neige ferme. Ajouter le sucre peu à peu en continuant à battre jusqu'à ce que le sucre soit complètement dissous et que le mélange soit épais et brillant. Ajouter la cannelle et battre pour bien mélanger.

2 Verser le mélange dans une poche munie d'une douille cannelée. Sur les plaques, presser des petites étoiles de 1,5 cm de diamètre, en les séparant de 3 cm. Faire cuire 30 minutes au four ou jusqu'à ce que les meringues soient pâles et croustillantes. Éteindre le four, entrouvrir la porte et laisser refroidir.

3 Garniture : mettre le chocolat et la crème fraîche dans un petit bol et faire fondre au bain-marie. Remuer et retirer du feu lorsque le chocolat est onctueux. Laisser légèrement refroidir. Coller les meringues deux par deux avec la crème. Saupoudrer de cacao en poudre et servir immédiatement.

Secrets du chef
Conservation : les meringues non fourrées peuvent se conserver plusieurs jours si elles sont placées dans une boîte hermétique, entre deux feuilles de papier sulfurisé.

Variantes : remplacer le chocolat noir par du chocolat blanc. À la place de la cannelle, utiliser des clous de girofle, de la noix de muscade ou des quatre-épices.

Note : pour réussir les meringues, il faut s'assurer que le bol dans lequel on bat les blancs en neige, est parfaitement sec et propre. Une seule petite tache de matière grasse peut empêcher les blancs de monter. Si possible, utiliser un bol en cuivre. Les meringues doivent cuire très lentement, elles sèchent plutôt qu'elles ne cuisent. Les meilleures meringues sont croustillantes à l'extérieur et molle à l'intérieur. Au contact des autres ingrédients, surtout ceux contenant des produits laitiers, elles tendent à se ramollir.

Conseil : les meringues non garnies sont très utiles pour décorer les gâteaux.

Truffes aux fruits et aux noix de pécan

Préparation : 30 mn + 1 h de trempage
Cuisson : 7 minutes
Pour 35 truffes

1/4 de tasse de raisins secs
60 g de noix de pécan finement hachées
1 cuil. à soupe de fruits confits mélangés coupés en dés

2 cuil. à soupe de gingembre confit haché
1 cuil. à soupe de cognac
1 cuil. à soupe d'huile d'olive
375 g de chocolat noir, haché
125 g de noix de pécan grillées, finement hachées

1 Mettre tous les fruits et les noix de pécan dans une jatte. Ajouter le cognac et l'huile, mélanger et laisser macérer 1 h.
2 Mettre le chocolat dans un bol. Poser le bol sur une casserole d'eau frémissante et faire fondre le chocolat en remuant.

3 Ajouter le mélange aux fruits et aux noix. Réfrigérer jusqu'à ce que le mélange soit relativement ferme.
4 Former des boulettes avec quelques cuil. à café de mélange. Rouler dans les noix de pécan hachées. Faire durcir les truffes au réfrigérateur. Servir dans des caissettes en papier.

Secrets du chef

Conservation : les truffes se conservent 2 jours dans un récipient hermétique, dans un endroit frais et à l'abri de la lumière.

Truffes tropicales

Préparation : 35 mn
Cuisson : 10 mn
Pour 20 truffes

80 g de noix de macadamia, finement
     hachées
2 cuil. à soupe de papaye confite
     finement hachée
2 cuil. à café de jus de citron
2 cuil. à café de crème liquide
90 g de chocolat blanc, finement haché

45 g de noix de coco séchée

● Étaler les noix de macadamia sur une
plaque et les faire griller au four à 180 °C
(au gaz th. 4) de 3 à 5 minutes.
1 Mélanger les papayes et le jus de citron
dans un petit bol. Laisser reposer 10
minutes. Ajouter les noix de macadamia
grillées et remuer pour bien mélanger.
2 Faire chauffer la crème dans une petite casserole à feu doux sans faire bouillir.
Faire fondre le chocolat, retirer du feu et
remuer pour obtenir une consistance
onctueuse. Verser dans un petit bol.
Ajouter la papaye et le jus de citron et

réfrigérer 20 minutes, pour rendre plus
ferme et plus facile à manipuler.
3 Passer des boulettes de ce mélange
dans la noix de coco et les mettre entre
deux feuilles de papier sulfurisé, dans un
récipient hermétique. Mettre au réfrigérateur pour laisser prendre.

Secrets du chef
Variantes : ajouter 40 g de chocolat
blanc à la noix de coco pour donner un
peu plus de consistance et de goût. Ajouter 1 cuillère à soupe de gingembre confit
haché ou 1 cuillerée à soupe d'abricot sec
haché à la pâte des truffes.

1

2

3

Brownies au chocolat blanc et aux noix de macadamia

Préparation : 20 mn
Cuisson : 40 mn
Pour 20 brownies

200 g de chocolat à croquer, haché
100 g de beurre
2 cuil. à soupe d'eau
125 g de sucre en poudre

2 cuil. à café d'essence de vanille
2 œufs, légèrement battus
2 cuil. à soupe de farine
150 g de chocolat blanc
90 g de noix de macadamia, hachées

● Préchauffer le four à 180 °C (au gaz th. 4). Tapisser un moule de 20 cm de côté avec du papier sulfurisé.
1 Mélanger le chocolat, le beurre et l'eau dans une casserole. Remuer à feu doux jusqu'à l'obtention d'un mélange onctueux. Ajouter le sucre en remuant, ôter du feu. Ajouter l'essence de vanille, les œufs et la

farine ; remuer jusqu'à homogénéité.
2 Couper le chocolat blanc en gros morceaux et l'ajouter au mélange en même temps que les noix de macadamia. (Arrêter de remuer aussitôt que le chocolat commence à fondre.) Verser dans le moule et cuire 35 mn au four, jusqu'à ce que le dessus soit ferme au toucher. Laisser refroidir dans le moule, couper en carrés.

Secrets du chef
Conservation : les brownies peuvent être conservés trois jours dans un récipient hermétique.

1

2

3

Losanges croquants

Préparation : 25 mn
Cuisson : 15 mn
Pour 30 losanges

125 g de beurre
1/2 tasse de sucre en poudre
1/2 cuil. à café d'essence de vanille
2 cuil. à soupe de farine d'avoine
1 tasse de farine
1 cuil. à soupe de cacao

100 g de pépites de chocolat noir,
fondues

● Préchauffer le four à 180 °C (th. 4).
Huiler ou beurrer une plaque de four.
Tapisser de papier sulfurisé.
1 À l'aide d'un batteur électrique, réduire le beurre et le sucre dans un bol jusqu'à l'obtention d'un mélange crémeux.
Ajouter l'essence de vanille et battre de
nouveau.
2 Transférer le mélange dans une jatte.
Ajouter les farines et le cacao tamisés. À
l'aide d'une spatule, mélanger pour obte-

nir une pâte souple. Poser sur une surface légèrement farinée et pétrir pour
obtenir une pâte homogène.
3 Abaisser la pâte sur 1 cm d'épaisseur.
Découper des losanges de 4 cm. Poser sur
la plaque et faire dorer 10 mn au four. Laisser refroidir complètement sur une grille.
Décorer des filets de chocolat fondu.

Secrets du chef

Conservation : ces losanges se conservent trois jours dans un récipient.
Variante : on peut remplacer le chocolat
noir par du chocolat blanc.

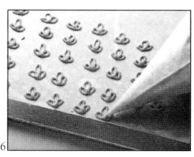

Losanges au chocolat

Préparation : 40 mn
   + 1 nuit de repos
Cuisson : 45 mn
Pour 12 losanges

1/4 de tasse de farine avec levure
   incorporée
1/4 de tasse de farine
1 cuil. à soupe de cacao
   en poudre
60 g de beurre
50 g de chocolat noir
   haché
1/2 tasse de sucre en poudre
1 cuil. à soupe d'eau
1 cuil. à soupe d'huile
1 œuf légèrement battu
1/3 de tasse de confiture
   de mûres, chaude

Glaçage
150 g de chocolat noir à cuire, haché
125 ml de crème liquide
50 g de pépites de chocolat blanc
   fondues

● Préchauffer le four à 180 °C (th. 4).
Huiler ou beurrer un moule à cake de
26 x 8 x 4,5 cm. Tapisser le fond et les
parois de papier sulfurisé.
1 Tamiser les farines et le cacao au-dessus d'une jatte. Creuser un puits au
centre. Mettre le beurre, le chocolat, le
sucre, l'eau et l'huile dans une casserole
et remuer à feu moyen pour obtenir un
mélange onctueux.
2 Verser le mélange dans le puits. Ajouter l'œuf et bien mélanger le tout. Remplir le moule et faire cuire 40 minutes,
jusqu'à ce qu'une brochette plantée au
centre ressorte propre. Laisser reposer
5 minutes avant de démouler sur une
grille. Laisser refroidir. Placer dans un
récipient hermétique et laisser reposer
une nuit.
3 Couper la surface et les bords du
gâteau. Retourner sur une planche. Couper en deux dans la longueur puis en
biais en 12 losanges.
4 Couper les losanges en deux dans la
hauteur. Enduire chacun de confiture et

les accoler deux par deux. Presser avec les doigts. Poser sur une grille placée au-dessus d'une plaque.

5 Mélanger le chocolat noir et la crème liquide dans un bol. Poser sur une casse-role d'eau frémissante et remuer pour obtenir un mélange onctueux. Étaler le mélange sur le dessus et les côtés des losanges. Laisser durcir au réfrigérateur.

6 Verser le chocolat fondu dans un cône en papier et coucher des motifs décora-tifs sur du papier sulfurisé. Laisser prendre. Soulever les motifs et placer sur les losanges.

Secrets du chef

Conservation : trois jours dans un réci-pient hermétique placé dans un endroit frais et à l'abri de la lumière. S'il fait chaud, conserver au réfrigérateur.

Variante : on peut remplacer les motifs en chocolat par des perles.

Cigares

Préparation : 12 mn
Cuisson : 6 mn
Pour 25 cigares

60 g de beurre
2 cuil. à soupe de sirop de sucre
   de canne
1/3 de tasse de cassonade
1/4 de tasse de farine
1 cuil. à café 1/2 de gingembre
   moulu
100 g de chocolat noir, fondu

● Préchauffer le four à 180 °C (th. 4).
Tapisser de papier sulfurisé deux plaques
à biscuits de 32 x 28 cm.

1 Mélanger le beurre, le sirop et le sucre
dans une petite casserole. Faire fondre le
beurre et dissoudre le sucre à feu doux
en remuant. Ôter du feu. Ajouter la farine tamisée et le gingembre moulu. Bien
mélanger avec une cuillère en bois, sans
exagérer.

2 Poser sur les plaques des tas de 1 cuil.
à café rase de mélange, en les espaçant
de 12 cm. (Ne préparer que trois ou
quatre biscuits à la fois.) Aplatir les tas
en cercles de 8 cm de diamètre. Faire
cuire 6 mn.

3 Laisser reposer 30 secondes. Rouler un

biscuit en tube. Laisser refroidir. En travaillant rapidement, rouler les autres biscuits. Plonger les extrémités des cigares
dans le chocolat fondu et laisser durcir
sur une plaque tapissée d'aluminium
ménager. Saupoudrer d'un peu de sucre
glace, le cas échéant.

Secrets du chef

Conservation : ces cigares se conservent
deux jours dans un récipient hermétique
ou un mois au congélateur, sans le glaçage.

Conseil : on peut former des cigares plus
larges et les fourrer de crème fouettée.
Le manche d'une cuillère en bois est très
pratique pour les rouler en tubes.

1

2

3

Bouchées aux noix

Préparation : 30 mn + 20 mn de repos
Cuisson : 2 à 3 mn
Pour 30 bouchées

100 g de noix, hachées
60 g de sucre glace

2 cuil. à café de blanc d'œuf
200 g de chocolat à croquer
30 cerneaux de noix

● Mixer les noix pour les réduire en poudre.
1 Ajouter le sucre glace et le blanc d'œuf. Faire une pâte humide. Couvrir et réfrigérer 20 minutes.
2 Prendre des petites cuillères de pâte, les rouler avec les doigts et laisser de côté. Mettre le chocolat dans un bol, le

faire fondre au bain-marie. Remuer pour obtenir un mélange onctueux.
3 Plonger les petites boules aux noix dans le chocolat et les poser sur un papier sulfurisé. Poser un cerneau sur chaque bouchée et appuyer légèrement. Laisser prendre.

Secrets du chef
Conservation : ces bouchées peuvent être préparées quatre jours à l'avance.

1

2

3

Biscuits-surprise chinois

Préparation : 15 mn
Cuisson : 5 mn par plaque
Pour 30 biscuits

3 blancs d'œufs
1/2 tasse de sucre glace tamisé
45 g de beurre doux
1/2 tasse de farine

● Préchauffer le four à 180 °C (th. 4). Tapisser une plaque de four de papier sulfurisé et tracer 3 cercles de 8 cm de diamètre.

1 Mettre les blancs d'œufs dans une jatte et les faire mousser au fouet. Verser le sucre glace et le beurre et bien mélanger. Ajouter la farine et remuer jusqu'à l'obtention d'une préparation onctueuse. Laisser reposer 15 minutes. À l'aide d'une spatule, étaler 1 cuil. à café 1/2 rase de préparation sur chaque cercle. Faire cuire 5 minutes, jusqu'à ce que les bords des biscuits soient légèrement marron.

2 En opérant rapidement, glisser une spatule sous les biscuits et les ôter de la plaque.

3 Placer un petit message écrit sur chaque biscuit. Plier chaque biscuit en deux, puis à nouveau en deux sur le bord

d'une jatte. Laisser refroidir sur une grille. Confectionner les autres biscuits de la même façon.

Secrets du chef

Conservation : ces biscuits se conservent deux jours dans un récipient hermétique.

Conseil : préparer les biscuits par 2 ou 3 pour qu'ils ne durcissent pas trop rapidement : ils se casseraient pendant le pliage.

Note : les messages fourniront des sujets de discussion après le dîner. De plus, leur conception et leur rédaction est un moment amusant.

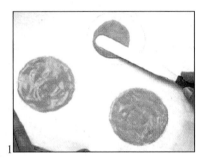
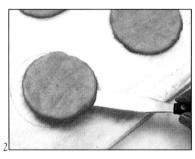
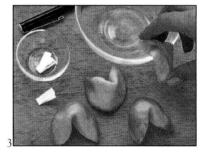

Sablés à l'orange et aux noix

Préparation : 20 mn
Cuisson : 15 à 18 mn
Pour 25 sablés

180 g de beurre coupé en dés
1/4 de tasse de sucre en poudre
2 cuil. à café de zeste d'orange finement râpé
1 tasse 1/4 de farine
2 cuil. à soupe de farine de riz
1/4 de tasse de noix finement hachées
Sucre glace, pour la décoration

● Préchauffer le four à 180 °C (th. 4). Huiler ou beurrer une plaque de four et tapisser de papier sulfurisé.

1 Mettre le beurre, le sucre, le zeste et les farines dans une jatte. Avec les doigts, mélanger les ingrédients pour former une pâte souple.

2 Pétrir légèrement la pâte pour qu'elle soit homogène. Entre deux feuilles de papier sulfurisé, abaisser sur une épaisseur de 1 cm.

3 Découper des cercles de 4 cm de diamètre à l'emporte-pièces. Parsemer des noix hachées et les enfoncer légèrement. Transférer sur la plaque et faire dorer 15 à 20 mn au four. Saupoudrer de sucre glace tant que

les biscuits sont encore chauds.

Secrets du chef

Conservation : les sablés à l'orange et aux noix se conservent trois jours dans un récipient hermétique.

Conseil : intercaler les couches de sablés de papier sulfurisé ou paraffiné pour les protéger.

Variante : on peut remplacer le zeste de citron par du zeste d'orange ou employer un mélange des deux. La farine de riz ajoute une texture agréable aux sablés. On se la procure dans les magasins diététiques ou les rayons spécialisés des supermarchés.

Biscuits-surprise chinois (en haut) et sablés à l'orange et aux noix.

Cerises au chocolat

Préparation : 20 mn
    + 20 mn de réfrigération
Cuisson : aucune
Pour 25 cerises au chocolat

1 blanc d'œuf
125 g de chocolat à croquer
100 g d'amandes en poudre

1 cuil. à soupe de kirsch
2 cuil. à soupe de sucre glace
25 cerises confites
1 cuil. à soupe 1/2 de cacao
1 cuil. à soupe 1/2 de chocolat en
    poudre

● Battre légèrement le blanc d'œuf.
1 Râper le chocolat très finement sur une feuille de papier sulfurisé. Mélanger avec les amandes, le kirsch et le sucre dans un bol. Incorporer assez de blanc d'œuf pour lier le mélange. Réfrigérer 20 minutes.

2 Aplatir 2 cuillères à café de mélange dans le creux de la main et faire une boulette en plaçant une cerise au milieu.
3 Passer les bouchées dans un mélange de cacao en poudre et de chocolat en poudre tamisés. Disposer entre deux feuilles de papier sulfurisé dans un récipient hermétique. Réfrigérer pour laisser prendre.

Secrets du chef

Conservation : les cerises au chocolat peuvent se conserver jusqu'à huit jours au réfrigérateur.

1

2

3

Fraises au chocolat

Préparation : 30 mn
Cuisson : 5 mn
Pour 12 fraises

12 fraises
150 g de chocolat blanc, haché
  grossièrement

60 g de chocolat à croquer, haché
  grossièrement

● Tapisser une plaque de papier sulfurisé.
1 Nettoyer les fraises avec un pinceau à pâtisserie. Ne pas enlever les feuilles.
2 Mettre le chocolat blanc dans un bol et faire fondre au bain-marie, pour obtenir un mélange onctueux. Retirer du feu. Tenir chaque fraise par la queue et plonger les deux tiers dans le chocolat. Égoutter et poser sur une plaque. Laisser prendre.

3 Mettre le chocolat à croquer dans un bol et le faire fondre au bain-marie pour obtenir un mélange onctueux. Laisser refroidir légèrement. Plonger le tiers des fraises dans le chocolat noir. Les reposer sur le papier sulfurisé et mettre au réfrigérateur jusqu'au moment de servir.

Secrets du chef

Conservation : les fraises enrobées se conservent 12 h au réfrigérateur.

Caramel au chocolat et à l'orange

Préparation : 25 mn
Cuisson : 10 mn
Pour 35 morceaux

100 g de guimauves roses et blanches
60 ml de jus d'orange
90 g de beurre, coupé en petits cubes
370 g de chocolat à croquer, grossièrement haché
1/2 cuil. à café d'essence de vanille
1 cuil. à café de zeste d'orange râpé
180 g de noix, grossièrement hachées

Écorce d'orange confite
Zeste d'une orange
125 g de sucre en poudre
60 ml d'eau

● Tapisser le fond d'un moule à manqué de 20 x 30 cm, de papier sulfurisé en recouvrant aussi les deux bords les plus longs.
1 Mélanger les guimauves, le jus d'orange et le beurre dans une casserole à fond épais. Faire fondre les guimauves à feu doux pendant 5 minutes en remuant de temps en temps. Retirer du feu et laisser refroidir légèrement. Ajouter le chocolat, l'essence de vanille, le zeste d'orange et les noix, en remuant jusqu'à ce que chocolat ait fondu et que le mélange soit onctueux.
2 Verser dans le moule et égaliser la surface. Laisser prendre. Couper en petits losanges lorsqu'il est bien ferme.

3 **Écorce d'orange confite :** couper l'écorce en fines lamelles. Mélanger avec le sucre en poudre et l'eau dans une petite casserole et remuer à feu doux jusqu'à ce que le sucre soit dissous. Porter à ébullition puis continuer à feu doux en faisant frémir, découvert, pendant 5 minutes sans remuer. Ôter le zeste de la casserole avec des pinces. Déposer sur une grille et laisser refroidir complètement.

Secrets du chef
Conservation : on peut préparer le caramel une semaine à l'avance en le gardant au réfrigérateur. Il se conserve très bien et est parfait pour offrir. À envelopper dans du papier de riz.
Conseil : garder le sirop dans lequel les zestes d'oranges ont cuit, pour arroser les glaces.

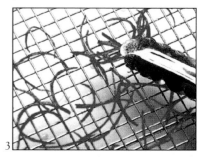

Carrés aux fruits et aux noix

Préparation : 20 mn
Cuisson : 3 à 5 mn
Pour environ 40 tranches

25 g de beurre
160 g de lait condencé
300 g de pépites de chocolat noir

2 cuil. à café de liqueur d'orange
35 g de noisettes, grillées
40 g de noix de macadamia, grillées
25 g de noix de pécan
2 à 3 cuil. à soupe d'amandes effilées, grillées
4 abricots confits, hachés
2 figues confites, hachées

● Tapisser de papier aluminium un moule à cake de 26 x 8 cm.
1 Mélanger le beurre, le lait concentré, les pépites de chocolat et la liqueur dans une casserole. Remuer à feu doux jusqu'à ce que le chocolat ait fondu et que le mélange soit onctueux. Verser dans un bol.
2 Ajouter les noix et les fruits au mélange et bien remuer. Remplir le moule avec cette pâte et égaliser la surface. Tasser en frappant le moule sur le plan de travail pour enlever les bulles d'air. Laisser 2 heures au réfrigérateur, pour affermir.
3 Démouler sur une planche et enlever le papier. Couper de fines tranches pour servir. On peut garder cette friandise jusqu'à deux semaine au réfrigérateur.

Caramel au chocolat et à l'orange (en haut) et carré aux fruits et aux noix.

Truffes au rhum

Préparation : 20 mn
        + 20 mn de réfrigération
Cuisson : 1 mn
Pour environ 25 truffes

200 g de chocolat à croquer, finement
        haché
60 ml de crème liquide
30 g de beurre
50 g de miettes de gâteau au chocolat

2 cuil. à café de rhum
100 g de vermicelles en chocolat

● Tapisser une plaque de papier d'aluminium.

1 Mettre le chocolat dans un bol. Mélanger la crème et le beurre dans un petite casserole. Remuer à feu doux jusqu'à ce que le beurre fonde et que le mélange commence à frémir. Verser la crème chaude sur le chocolat. Remuer pour le faire fondre et pour que le mélange soit onctueux.

2 Ajouter les miettes de gâteau au chocolat et le rhum en remuant pour bien mélanger. Réfrigérer 20 mn en remuant de temps en temps. La consistance doit être assez ferme. Prendre des petites cuillères du mélange et les rouler en boulettes.

3 Passer les truffes dans du vermicelle en chocolat saupoudré sur un papier sulfurisé. Réfrigérer pendant 30 mn pour les laisser refroidir. Servir dans des petites caissettes de confiseur.

Secrets du chef

Variantes : remplacer le rhum par d'autres alcools tels que le brandy ou le whisky.

Remplacer les vermicelles par du cacao en poudre.

Amaretti

Préparation : 25 mn
+ 1 h de repos
Cuisson : 15 mn
Pour 40 amaretti

1 cuil. à soupe de farine
1 cuil. à soupe de Maïzena
1 cuil. à café de cannelle en poudre
185 g de sucre en poudre
1 cuil. à café de zeste de citron râpé
120 g d'amandes en poudre
2 blancs d'œufs
30 g de sucre glace

● Tapisser de papier sulfurisé deux plaques à biscuits de 32 x 28 cm. Préchauffer le four à 180 °C (th. 4).

1 Tamiser la farine, la Maïzena, la cannelle et la moitié du sucre au-dessus d'une jatte. Incorporer le zeste de citron et les amandes.

2 Mettre les blancs d'œufs dans un bol. Battre en neige ferme à l'aide d'un batteur électrique. Ajouter peu à peu le reste du sucre sans cesser de battre jusqu'à ce que le mélange soit épais et mousseux et que le sucre soit dissous. À l'aide d'une cuillère métallique, incorporer les blancs en neige aux ingrédients secs. Mélanger pour obtenir une pâte souple.

3 Avec les mains humides ou huilées, former des boulettes de 2 cuil. à café rases de mélange chacune. Poser sur les plaques en les espaçant bien.

4 Saupoudrer largement les boulettes de sucre glace. Faire dorer 15 à 20 mn au four. Transférer sur une grille et laisser refroidir.

Secrets du chef

Conservation : deux jours dans un récipient hermétique.

Variante : on peut remplacer le zeste de citron par du zeste d'orange.

1

2

3

Gâteau au chocolat et à la noix de coco

Préparation : 40 mn
Cuisson : 30 mn
Pour un gâteau de 28 x 18 cm

60 g de farine
60 g de farine avec levure incorporée
2 cuil. à soupe de cacao en poudre
160 g de sucre en poudre
60 g de noix de coco séchée
125 g de beurre, fondu
1/2 cuil. à café d'essence de vanille
1 œuf, légèrement battu

50 g de beurre
90 g de chocolat à croquer, grossièrement haché
2 cuil. à soupe de crème liquide

Glaçage
1 cuil. à soupe de jus de citron
160 g de confiture d'abricots

● Préchauffer le four à 180 °C (au gaz th. 4). Beurrer un moule de 28 x 18 cm et le tapisser avec du papier sulfurisé.
1 Tamiser les farines et le cacao dans un bol moyen. Ajouter le sucre et la noix de coco. Faire un puits au centre. Ajouter le beurre, l'essence de vanille et l'œuf et remuer avec une cuillère en bois. Verser le mélange, dans le moule, en égalisant la surface. Faire cuire de 20 à 25 mn au four. Laisser refroidir dans le moule.
2 Glaçage : mettre le jus de citron et la confiture dans une casserole à feu doux et remuer. Lorsque le mélange bouillonne, le verser sur le gâteau en l'égalisant avec la lame d'un couteau. Laisser prendre 20 mn.
3 Faire fondre le beurre dans une petite casserole. Ajouter le chocolat et la crème. Retirer du feu. Remuer jusqu'à ce que le chocolat soit fondu et que le mélange soit onctueux. Étaler sur le gâteau et laisser prendre. Couper en petits carrés. Décorer avec des copeaux de chocolat. Ces carrés peuvent se conserver jusqu'à quatre jours dans un récipient hermétique.

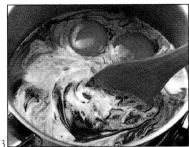

Truffes au praliné

Préparation : 30 mn
Cuisson : 15 mn
Pour 34 truffes

50 g d'amandes émondées, grillées
50 g de noisettes, grillées
160 g de sucre en poudre
80 ml d'eau
250 g de chocolat à croquer
60 g de beurre
80 ml de crème liquide
2 jaunes d'œufs
1 cuil. à soupe de liqueur au café
    (kahlua)

1 cuil. à soupe 1/2 de cacao en poudre

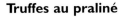 Tapisser une plaque de papier sulfurisé.
1 Mettre les noisettes et les amandes sur la plaque. Mélanger le sucre et l'eau dans une petite casserole. Remuer à feu doux sans bouillir, jusqu'à ce que le sucre soit dissous. Porter ensuite à ébullition puis réduire et continuer à faire frémir jusqu'à ce que le mélange prenne une couleur dorée. Verser ce mélange très chaud sur les noisettes et les amandes et laisser durcir.
2 Casser le pralin en petits morceaux. Passer au mixeur et mettre de côté.
3 Faire fondre le chocolat et le beurre dans une petite casserole en remuant, à feu doux. Lorsque le chocolat est onctueux, ajouter la crème, les jaunes d'œufs et la liqueur. Remuer pour faire une pâte lisse et laisser refroidir à température ambiante. Incorporer le praliné.
4 Former des boulettes avec 1 cuillerée 1/2 de mélange. Passer dans le cacao en poudre juste avant de servir.

Secrets du chef
Variations : remplacer les amandes et les noisettes par des noix de pécan, des pistaches ou des noix.

167

Chocolats au café

Préparation : 35 mn
Cuisson : 3 mn
Pour 20 chocolats

125 g de pépites de chocolat
    noir
20 caissettes en papier d'aluminium
50 g de chocolat blanc haché
1 cuil. à soupe de crème liquide
1 cuil. à soupe de Tia Maria
    (facultatif)
20 grains de café
25 g de pépites de chocolat blanc,
    fondues

● Mettre les pépites de chocolat noir dans un bol. Poser le bol sur une casserole d'eau frémissante. Faire fondre en remuant. Laisser refroidir légèrement.

1 Verser 1 cuil. à café de chocolat dans chaque caissette. À l'aide d'un petit pinceau, enduire le fond et les parois sur une certaine épaisseur. Retourner les caissettes sur une grille et laisser durcir. Réserver le reste du chocolat.

2 Mélanger le chocolat blanc haché, la crème et le Tia Maria dans un bol. Poser sur une casserole d'eau frémissante et remuer pour obtenir un mélange onctueux. Laisser refroidir un peu et verser dans les caissettes. Poser un grain de café sur le dessus.

3 Réchauffer le chocolat noir réservé. Couvrir les caissettes d'un peu de chocolat fondu. Taper légèrement chaque caissette pour égaliser le dessus. Verser le chocolat blanc fondu dans un cône en papier et tracer un « C » sur chaque caissette. Laisser durcir.

Secrets du chef

Conservation : deux semaines dans un récipient hermétique placé dans un endroit frais et à l'abri de la lumière. Par temps chaud, conserver au réfrigérateur.

Note : les grains de café doivent être de bonne qualité et, pour une saveur plus douce, peuvent être omis.

1

2

3

Tartelettes
aux pignons de pin

Préparation : 25 mn
Cuisson : 15 mn
Pour 24 tartelettes

1/2 tasse de farine
60 g de beurre coupé en dés
1/4 de tasse de pignons de pin
20 g de beurre fondu
125 ml de sirop de sucre de canne
2 cuil. à soupe de cassonade

● Préchauffer le four à 180 °C (th. 4). Beurrer 2 plaques de 12 alvéoles.

1 Mettre la farine et le beurre dans un mixer. Mélanger pendant 20 à 30 secondes. Puis poser sur une surface farinée et pétrir jusqu'à l'obtention d'une pâte souple.

2 Abaisser la pâte sur une épaisseur de 3 mm. Découper des tartelettes à l'aide d'un emporte-pièces cannelé de 5 cm de diamètre. Soulever les tartelettes et placer dans les alvéoles. Étaler les pignons de pin sur une plaque et griller à sec 1 à 2 minutes au four. Ôter de la plaque et laisser refroidir. Répartir entre les tartelettes.

3 Dans un verre gradué, fouetter le beurre, le sirop et le sucre avec une fourchette. Verser sur les pignons. Faire dorer les tartelettes 12 mn au four. Laisser refroidir 5 mn sur les plaques, transférer sur une grille et laisser refroidir complètement. Le cas échéant, saupoudrer de sucre glace avant de servir.

Secrets du chef

Conservation : on peut cuire ces tartelettes huit heures à l'avance. Conserver dans un récipient hermétique.

Variante : on peut remplacer les pignons de pin par des noix ou des noix de pécan hachées.

1

2

3

Chocolats au café (en haut) et tartelettes aux pignons de pin.

Rochers au chocolat

Préparation : 25 mn
Cuisson : 3 mn
Pour 40 rochers

125 g de pépites de chocolat noir
125 g de pépites de chocolat blanc

125 g de fruits secs, coupés en dés
125 g de gingembre confit, haché

● Mettre les pépites de chocolat noir et blanc dans deux jattes séparées.
1 Poser chaque bol sur une casserole d'eau et faire fondre. Laisser refroidir.
2 Incorporer les fruits secs au chocolat noir. Incorporer le gingembre confit au chocolat blanc.
3 Remplir des caissettes en papier de ces

mélanges et laisser durcir.

Secrets du chef
Conservation : ces rochers se conserveront 4 semaines dans un récipient hermétique placé dans un endroit frais et sombre.
Conseil : on peut remplacer le mélange de fruits séchés par un seul fruit sec ou des noix de pécan, des amandes, des noix de macadamia, des noix du Brésil, etc., grillées et hachées.

Mini-tuiles

Préparation : 8 mn
　　　+ 2 h de repos
Cuisson : 5 mn par plaque
Pour 40 tuiles

1/3 de tasse de farine
1/4 de tasse de sucre en poudre
30 g de beurre, fondu
1 blanc d'œuf légèrement battu
Quelques gouttes d'essence d'amande

● Beurrer 2 plaques à biscuits de 32 x 28 cm. Tracer 4 cercles de 5 cm de diamètre sur deux morceaux de papier sulfurisé. Poser sur les plaques, traits en dessous. Préchauffer le four à 180 °C (th. 4).

1 Tamiser la farine au-dessus d'une jatte. Ajouter le sucre. Creuser un puits au centre. Mettre le beurre, le blanc d'œuf et l'essence d'amande dans le puits. Mélanger avec une cuillère en bois.

2 Étaler 1/2 cuil. à café de mélange sur chaque cercle d'une plaque. Faire dorer 5 minutes. Pendant ce temps, préparer la seconde plaque. Continuer ainsi jusqu'à épuisement de la pâte.

3 Ôter du four et laisser reposer 30 secondes. Décoller chaque tuile et l'arrondir sur un objet bombé tant qu'elle est molle. Opérer rapidement car les tuiles durcissent vite.

Secrets du chef

Conservation : deux jours dans un récipient hermétique.

Conseil : on fait cuire les tuiles par 3 ou 4 pour pouvoir les arrondir avant qu'elles ne durcissent.

1

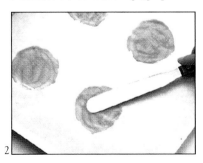

2

3

Liqueurs et cafés

Liqueur de kumquat

Laver et essuyer 500 g de kumquats. Percer chacun à l'aide d'une pique en bois. Les placer dans un bocal avec 2 tasses de sucre. Verser 1 litre de cognac, de gin ou de vodka. Fermer et laisser un mois dans un endroit frais et à l'abri de la lumière, en retournant souvent le bocal. Pour servir, mettre un kumquat dans chaque verre et arroser de liqueur.

Pour 1 litre

Café à la cannelle

Préparer 2 litres de café noir fort et ajouter 1 cuil. à café de cannelle. Verser dans les tasses et ajouter du Kahlua à volonté. Napper de crème fouettée et décorer de lanières de zeste d'orange.

Pour 4 personnes

Irish coffee

Verser du café noir fort dans de hauts verres résistants à la chaleur. Ajouter du sucre et du whisky à volonté. Ajouter lentement de la crème épaisse dans chaque verre, sur une épaisseur de 5 mm. Servir tout de suite. Pour un Jamaican coffee, on remplace le whisky par du rhum.

Dans le sens des aiguilles d'une montre, à partir de ci-dessous : liqueur de café ; crème de whisky ; café à la cannelle ; liqueur de kumquat ; café viennois ; irish coffee.

Liqueur de café

Dans un grand récipient, fouetter 1 tasse de sucre avec 3 cuil. à soupe de café instantané, 250 ml de rhum, 250 ml d'eau bouillante et 3 cuil. à café d'essence de vanille. Verser dans un bocal stérilisé, fermer et conserver 2 semaines dans un endroit frais et à l'abri de la lumière. *Pour environ 600 ml*

Crème de whisky

Mélanger 250 ml de crème liquide avec 375 ml de lait en poudre, 125 ml de lait concentré et 2 cuil. à soupe de chocolat instantané. Incorporer lentement 250 ml de whisky et verser dans un bocal stérilisé. Conserver jusqu'à 2 semaines au réfrigérateur. Servir à température ambiante. *Pour 1 litre*

Café viennois

Préparer des tasses de café au lait et incorporer un peu de chocolat au lait râpé. Surmonter d'une grosse cuillerée de crème fouettée et saupoudrer de chocolat râpé. Servir tout de suite.

Index

Précisions utiles

Très facile

Facile

Difficile

Les mesures utilisées sont les grammes et les litres, cuillères à café, cuillères à soupe et, moins commun, les tasses. Les tasses servant d'unité de mesure ont un contenu de 250 ml. Les œufs utilisés dans les recettes pèsent en moyenne 60 g. La taille des boîtes de conserves varie, prenez donc celle qui s'approche de la quantité indiquée dans la recette.

Le temps de cuisson au four indiqué dans nos recettes peut varier selon le type de votre four (au gaz ou électrique). Si vous disposez d'un four à air pulsé, vous pouvez, en règle générale, réduire la température indiquée de 20° C.

Mesures et abréviations

1 tasse	=	250 ml
1 tasse de farine	=	125 g
1 tasse de riz	=	220 g
1 tasse de fromage râpé	=	125 g
1 cuil. à soupe	=	20 ml
1 cuil. à café	=	5 ml

Nota bene :
De nombreuses recettes présentées dans cet ouvrage ont déjà été publiées aux éditions Könemann.

Copyright © 2001 pour l'édition française
Könemann Verlagsgesellschaft mbH
Bonner Str. 126, D-50968 Cologne

Traduction : Marie-Christine Louis-Liversidge, Véronique Brandner, Annick de Scriba, Françoise Fauchet
Mise en pages : Agentur Roman, Bold & Black, Cologne
Fabrication : Mark Voges
Photogravure : C.D.N. Pressing, Vérone
Impression et reliure : EuroGrafica
Imprimé en Italie

ISBN : 3-8290-5591-9

10 9 8 7 6 5 4 3 2 1